CW00543345

Les méandres mortels
de la petite reine

Gérard Porcher

Les méandres mortels
de la petite reine

Roman

LE LYS BLEU
ÉDITIONS

© Lys Bleu Éditions – Gérard Porcher

ISBN : 979-10-377-1699-6

Du même auteur

- *La révolution mexicaine,* Dedicace.ca, 2015
- *Crimes en eau trouble à Lisses*, Dedicace.ca, 2009
- *Coups pourris à Neuilly s/Essonne*, Dedicace.ca, 2014
- *Les manuscrits de la mort*, Dedicace.ca, 2015
- *Nuit torride à Kéresquant*, Dedicace.ca, 2010
- *Ces passions qui tuent,* Edilivre.com, 2018
- *Les poèmes d'une jeune fille disparue*, Edilivre.com, 2010
- *Les écrits d'un écorché vif,* Premedit.fr, 2017

Ne vous fiez pas à
De belles paroles,
Beaucoup ont du sucre
Dans la bouche et
Du poison dans le cœur.

Un sage

Un moment d'émotion au moment de l'écriture de ce roman. Quand j'ai commencé à écrire ce livre, j'apprenais le décès de Laurent Fignon. J'avais beaucoup d'estime pour ce coureur, il faisait partie de ces hommes que j'admirais par leurs exploits sportifs. Comme Anquetil, Thévenet, Poulidor et Bernard Hinault qui fut mon « idole », ma référence. J'ai couru avec Laurent Fignon quand il était junior et je me souviens du « prix des chasseurs » à Combs-la-Ville, il avait un pédalage léger et aérien. D'ailleurs, dans le peloton, pendant que nous étions tous sur la « grosse » (gros braquet), lui, il tournait ses jambes avec facilité sur un petit braquet. C'est à cela que l'on voit les bons coureurs. Je me souviens qu'au début de sa carrière professionnelle, où dans une « classique » de fin de saison (Paris-Tours, je crois), il s'était échappé et, à quelques encablures de l'arrivée, sa pédale avait cassé net et bien sûr, le coureur avait atterri au sol. La télévision qui avait filmé la scène en direct la passait en boucle. Au mois de juillet, il avait commenté le tour de France de sa voix cassée par la maladie, il avait des commentaires assez musclés sur certains comportements des coureurs et cela était raisonné, au grand dam de quelques-uns qui lui reprochaient ses quatre vérités. Il était comme cela, Laurent, et puis… Il n'avait plus rien à perdre. Et au mois d'octobre, notre « intello » s'en est allé.

Il restera dans ma mémoire un grand coureur parmi les grands.

Et voilà qu'un autre coureur s'en est allé. (14/11/2019) Poulidor, Poupou pour les admirateurs qui l'acclamaient sur les bords de route du tour de France de 1963 à 1976. Poulidor, l'éternel second, est parti rejoindre Jacques Anquetil dans l'au-delà et peut-être, pour une fois, finir premier.

Une anecdote me vient à l'esprit concernant ce coureur au courage exemplaire que j'ai côtoyé dans les années 2000. Au mois d'août, je me trouvais en vacances à Coray, près de Quimper, à cette époque, une grande épreuve cycliste à étape avait lieu, c'était la Mi-août bretonne open, une course en dix étapes. Dans chaque ville organisatrice, le matin, il était organisé une randonnée d'une centaine de kilomètres, je m'étais inscrit à celle de Scaer. Et quelle fût ma surprise de voir Poupou qui roulait parmi nous, je me suis approché de lui et pendant un petit moment, nous avons discuté, il avait sur lui un beau maillot de la Mi-août bretonne, le flocage me plaisait beaucoup, il y avait le drapeau breton, le nom de Poulidor et l'intitulé de la course, je lui dis que j'aimerais en avoir un comme ça, il me répond qu'il ne pouvait pas m'en donner. Quand soudain, il m'interpelle. « Holà, Gérard, ça roule trop vite, je sens qu'il va se passer quelque chose, je vais à l'arrière du peloton. » C'est vrai que cela roulait vite, je ne l'ai pas écouté. J'aurai dû, car il y a eu une grosse chute, j'ai fini sur le bitume, mon vélo d'un côté et moi de l'autre. Résultat, j'avais les genoux en sang. Je me suis relevé péniblement et je suis reparti pour finir la course. À l'arrivée, dans la ville de Scaer, j'entends le speaker qui annonce mon numéro de dossard, je monte sur le podium et Raymond Poulidor me revêt le maillot de la mi-août bretonne sur les épaules. Puis, il me dit « je ne suis pas intervenu, ton numéro de dossard a été tiré au sort et voilà, tu as ton maillot. » Cela a été le plus beau souvenir de ma carrière de coureur cycliste.

L'auteur, ancien coureur cycliste.

1

La ville est encore endormie sous un ciel chargé de nuages noirs, elle est réveillée brutalement par le bruit incessant de véhicules venant de tous horizons. Des porte-vélos adossés sur les toits ou à l'arrière des voitures supportent de beaux vélos. Tout ce beau petit monde anime la ville par les cliquetis métalliques des vélos et les voix des cyclistes qui se répercutent dans la nuit noire. Le bruit des voitures qui se stationnent sur la grande place publique ou sur les bas-côtés des rues adjacentes et les discussions entre les sportifs commencent à réveiller les habitants. Il faut dire que la ville est en fête. Comme chaque année, à la fin mars, a lieu la sempiternelle course cycliste « le prix des chasseurs ». Une épreuve qui était « la course » d'un grand cycliste de renommée internationale. Combs-la-Ville, dans la Seine-et-Marne, était son fief et le prix des chasseurs, il la gagne chaque année. Il s'agit bien sûr de Laurent Fignon, surnommé « l'intello ». Dans la salle des fêtes, Henri fait la queue pour récupérer son dossard numéroté et il signe la feuille d'émargement. Pour certains coureurs, c'est l'occasion de se revoir, de parler de leurs courses, de leurs clubs et faire le point sur leurs classements. Henri se met en tenu cycliste et part pour un échauffement nécessaire. Les routes autour de la ville brillent par les couleurs chatoyantes des tenues aux couleurs des clubs cyclistes régionaux, les amoureux de la petite reine se préparent pour le départ. Il est sept heures et le soleil peine à se réveiller, l'air est frais, mais il ne pleut pas, c'est mieux ainsi, car les chutes sont moins fréquentes par des temps secs. Après avoir épinglé son dossard sur la poche arrière avec ses quatre épingles à nourrice, Henri regarde le numéro avec nostalgie, c'est le 51. « Quelle veine, murmure-t-il, c'est le numéro de Bernard Thévenet dans le Tour de France qu'il a gagné, peut-être qu'il va me donner chance ». Il descend son Gianni Motta du toit de la voiture, vérifie le serrage des roues, le gonflage des pneus à six bars et il met son bidon d'Isostar sur un support fixé sur le cadre. Puis, il plie méticuleusement ses socquettes blanches sur ses chevilles, il met ses chaussures, ses gants et son casque. C'est un cérémonial habituel aux épreuves cyclistes qu'il effectue sereinement. Il regarde son vélo, sa petite reine, qu'il a peint aux couleurs du drapeau mexicain, cela en jette un peu et attire les regards. Le cadre est peint en vert, en blanc et rouge en dégradé, dans la couleur blanche, ne pouvant pas mettre l'aigle et le serpent qui représente l'emblème mexicain, il a fait écrire « MEXICO ». À l'origine, le vélo était aux couleurs italiennes, c'était un Gianni Motta. Sur le cadre, il y avait les drapeaux des pays où le coureur avait gagné ses courses, sa signature était apposée sur le cadre, en dessous de la cage du pédalier, il avait incrusté les contours de son pays, l'Italie. Et en le repeignant, on dit remaillé en jargon cycliste, Henri a fait disparaître toutes ces choses importantes de ce fameux coureur italien des années soixante. Avec son maillot vert et blanc de Grigny (USG), il roule avec ses collègues de club. L'échauffement est très important, il faut faire chauffer la marmite progressivement, comme on dit. Il faut augmenter aussi les braquets, tout cela permet de mieux répondre au démarrage dès le départ. Surtout si quelques cyclistes voulant dynamiser le peloton lancent, dès le drapeau baissé, une allure de TGV. Huit heures moins le quart, le fourmillement dans la ville est à son paroxysme. Il y a des vélos dans tous les coins, les coureurs discutent fort, la nervosité d'avant le départ monte d'un cran. Les villageois sortent de chez eux, ne voulant pas rater le départ. C'est comme si le tour de France est dans leur ville. Ce moment est tellement important que même certains commerces, habituellement fermés, sont ouverts dont le pharmacien, car souvent les coureurs ont besoin de certains produits, comme le Musclor pour échauffer les muscles, ou bien de l'huile de Camphre, en cas de pluie. Le boulanger, l'épicier et les cafés sont aussi de la partie.

Après un bon échauffement, tous les coureurs s'approchent de la ligne de départ. Les commissaires s'activent, la voiture ouvreuse et les motos sont prêtes. Un strident coup de sifflet à répétition fait l'appel. Les coureurs doivent se positionner sur la ligne de départ par ordre de numéro du dossard. Le maire de la ville est sur le trottoir, un drapeau à la main, il attend l'ordre de lancer le départ. Un commissaire l'appelle et lui demande de se mettre en position. Le bras est levé, puis d'un seul coup, le drapeau est baissé. Les coursiers se lancent à fond de train. Dès le départ, l'allure est rapide. Quelques coups de frein dans les virages serrés de la ville font crier quelques-uns, pas contents de ralentir. À l'arrière, à la suite de ces coups de patin intempestifs, quelques coureurs sont prêts à poser le pied-à-terre. Mais la relance se fait et debout sur leurs bécanes, ils accélèrent afin de recoller au peloton. Henri est à la peine dès le départ, il se trouve au milieu du peloton, il subit avec difficulté les vagues d'assaut des relances. Accélérer puis freiner ne l'arrange pas. Il faut dire qu'après deux années sans faire de vélo, le voilà de retour à ses amours. Il adore l'ambiance des compétitions. Tout l'hiver, il s'est entraîné comme un forçat. Aux entraînements du club, il « tirait » les grimpeurs dans toutes les côtes de l'Essonne, puis à cinquante mètres du sommet, il devait se retirer pour laisser les purs grimpeurs s'expliquer. Des kilomètres, il en a avalé. Qu'il pleuve, qu'il vente ou qu'il gèle, il est sur son vélo, accompagné parfois de son jeune frère. Il est actuellement à mille cinq cents kilomètres au compteur. Six mois pour arriver à un bon niveau, il a tellement travaillé sur son vélo qu'il a perdu près de huit kilos. En fin de compte, il a atteint son poids de forme de soixante-quatorze kilos pour un mètre soixante-quatorze. Rageusement, il appuie sur les pédales, autour de lui cela discute fort. Certains coureurs en pleine forme pédalent avec facilité, pendant qu'il s'essouffle à tenir le rythme. Tout à coup, tout le monde se tait, un silence de mort a atteint le peloton. En principe quand les coureurs se taisent, c'est l'annonce d'une côte. Chacun essaie de se mettre en place pour bien la monter, de chaque côté de la route des dizaines de coureurs passe entre les coursiers pour se mettre devant le peloton afin de préparer le sprint final en haut de la côte. Instinctivement, Henri rétrograde, ne voulant pas se mêler à la bagarre, mais c'est surtout pour préserver ses forces afin de finir la course. La montée est passée et les discussions reprennent rapidement. Une descente en virage est prise à vive allure, dans le long faux plat, les jambes moulinent à bonne allure. Henri est content de lui, car il est pratiquement aux avant-postes, il lance un regard rapide autour de lui, instinctivement, il sent qu'il va se passer quelque chose, il voit un coureur de Corbeil-Essonnes, bien calé dans la roue de son équipier, il semble être à l'affût d'un démarrage, il attend simplement que le peloton soit endormi pour porter son estocade. À sa droite, deux coureurs semblent se disputer, l'altercation est musclée. Un virage serré est pris à vive allure, les dix premiers coursiers ont légèrement accéléré. Et ce qui doit arriver logiquement arrive. Ce petit groupe prend cinq mètres puis dix. Et rapidement, ils font le trou. Maintenant, cent mètres les séparent du peloton. Henri n'essaie même pas de combler le trou, il ne se sent pas assez en forme pour suivre les meilleurs, il rétrograde vite fait à la trentième place, laissant aux autres coureurs le plaisir de combler la distance qui s'agrandit. « Peine perdue, pense Henri, on ne les aura plus ». Trop occupé à contrôler sa course, il ne fait pas attention à la bagarre qui se propage auprès de lui, il entend les cris des coureurs qui se disputent, mais il ne fait pas attention. Il n'a même pas le temps de voir ce qui se passe, quand tout à coup, c'est la chute. Il a beau appuyer de toutes ses forces sur les freins, le vélo continue d'avancer, la chute est inévitable. Déjà, une vingtaine de coureurs sont projetés au sol, cela fait un bruit épouvantable. Entre le crissement strident des freins, les cris des coureurs, des vélos qui heurtent fortement le bitume et les cris de certains spectateurs, ils se forment une cacophonie épouvantable. Henri est déséquilibré, il évite de peu un coureur à terre, il préfère se laisser conduire vers le fossé où il espère faire un beau soleil sur cette herbe humide. Son vélo d'un seul coup part d'un côté et il se retrouve au sol, glissant sur le macadam avec d'autres coureurs, la chute est amortie par le fossé. Les pédales Look ont un avantage, c'est que l'on ne reste pas collé au vélo. Avec les antiques cale-pieds à sangle, on tombait avec son destrier, il fallait avoir le temps de tirer sur la boucle pour les desserrer. Henri se lève péniblement, il a mal partout. Il recherche son engin et il le retrouve cent mètres plus loin. Par chance, le vélo n'a rien en dehors de la selle qui est égratignée. Il se tâtonne pour voir s'il a quelque chose de grave. Apparemment, il n'a rien. À part le cuissard un peu déchiré, son maillot est plein de terre et d'herbe. « Bon, c'est bien, je ne m'en sors pas si mal que ça, se dit-il. » Il regarde autour de lui, c'est l'hécatombe, il y a une trentaine de coureurs au sol, quelques-uns ont la figure ou les membres en sang. À sa droite, auprès d'un poteau de signalisation, deux cyclistes ne bougent pas. L'un des coursiers est adossé contre le muret qui borde la chaussée qui enjambe un petit ruisseau, sa tête est en sang et le petit mur en est aspergé. Le deuxième est couché sur le bitume, il se frotte l'épaule en poussant des cris, fracture de la clavicule sûrement. Les secours arrivent déjà et au loin, on entend la sirène des voitures de pompiers. Henri enjambe son vélo et reprend le chemin de la course. Avec plusieurs coureurs, ils s'organisent pour revenir sur le peloton qui est à portée de main. Au fil des kilomètres, en faisant à tour de rôle des relais appuyés, ils bouchent le trou et entrent au sein du peloton. Au tour suivant, il arrive à l'endroit de la chute. Des plots rouges et blancs sont posés sur la route réduisant la chaussée afin de sécuriser l'endroit. Un coureur est encore sur place, en le regardant bien, Henri voit qu'il ne bouge plus, il est sûrement décédé. Passé l'endroit de l'accident, le peloton continue sur sa lancée, la relance est difficile, le cœur n'y est plus. À l'approche de l'arrivée, ils accélérèrent, le sprint se prépare pour la onzième place, soit dit en passant. Car, les dix échappées sont déjà arrivées. Henri se place du mieux qu'il peut. Le sprint est houleux, quelques coureurs font des vagues, frôlant de peu la chute. Henri franchit la ligne d'arrivée à la trentième place du peloton. « Quarantième pour ma première course, c'est pas mal », se dit-il. Sur le podium, c'est l'effervescence. Les commissaires et les organisateurs discutent entre eux. Sûrement que la chute y est pour quelque chose. Henri, après s'être passé un coup de gant humide sur le visage et sur ses blessures, a revêtu un survêtement. Il se trouve avec des collègues devant le podium. Les discussions vont bon train. Il entend parler de meurtre, de la mort du coureur. La rumeur se répand dans toute la foule comme une traînée de poudre. Quelques gendarmes arrivent et se mêlent aux cyclistes, puis un inspecteur de police monte sur le podium. Henri le connaît, c'est un de ses amis de la police judiciaire. Le commissaire Benoist Lamour a le micro à la main et il annonce la triste nouvelle à l'assemblée prosternée.

— Messieurs, je vous demande un peu d'attention, s'il vous plaît, votre collègue, le coureur du club de Longjumeau, vient de décéder de suite de sa chute. Le muret bordant la route lui a été fatal. Ce fâcheux accident n'étant pas très clair, le temps de l'enquête, vous restez tous à notre disposition, merci, messieurs.

À cette annonce, les coureurs poussent des cris, c'est l'émeute, ils ont hâte de rentrer chez eux. Pour certains, ils doivent faire une centaine de kilomètres pour arriver à leur domicile. Devant cette masse hurlante d'une centaine de coureurs, sans compter les accompagnateurs, le commissaire essaie de prendre la parole. Il doit crier dans le micro pour se faire entendre. Les gendarmes qui se trouvent parmi l'assistance demandent aux cyclistes de se calmer et de laisser le commissaire s'exprimer. Les organisateurs sont complètement dépassés par les évènements. Le maire monte sur le podium, accompagné par Miss Combs-la-Ville qui tient dans ses bras un énorme bouquet de fleurs.

— Messieurs, du calme, dans une heure, tout sera fini, le temps de vous poser quelques questions. Si vous avez des choses à nous dire, nous sommes dans la salle des fêtes.

Puis le maire, souhaitant que le protocole soit respecté et voyant les organisateurs dépassés par les évènements, prend la parole.

— Messieurs, je vous remercie d'être venus courir pour le prix des chasseurs. Habituellement, c'est une belle course, très prisée des coureurs. Quel dommage que cette chute meurtrière ait entaché le bon déroulement de cette épreuve ! Pour l'heure, nous allons procéder à la remise des récompenses, en ayant une pensée pour le regretté coureur de Longjumeau. Les coureurs applaudissent au discours du maire, voulant montrer ainsi, leur antipathie envers la maréchaussée.

Une fois la cérémonie terminée, tout le monde se rend à la salle des fêtes, pressé d'en finir et de rentrer chez soi. Dans le fond de la salle, le pot de l'amitié est servi, mais personne n'ose approcher. C'est encore une fois le maire qui prend l'initiative, il va chercher un par un les gens présents dans la salle. Le fond de la salle des fêtes est réquisitionné par la police, des tables et des chaises ont été posées pour les enquêteurs. Quatre inspecteurs, chacun à une table auditionne les coureurs, leur déposition faite, ils ont l'autorisation de rentrer chez eux. À la grande table centrale, le commissaire de police est en grande discussion avec la police scientifique. Les hommes en blanc qui ressemblent à des cosmonautes donnent le compte rendu de leurs recherches. Le médecin légiste arrive avec sa mallette et donne son rapport au commissaire. Les hommes ont le visage grave, surtout le commissaire Lamour avec sa barbe qui lui mange la moitié du visage, ses cheveux noirs mi-longs peignés comme Serge Lama avec sa sempiternelle pipe éteinte à la bouche. Il est vêtu d'un pull bleu marine à col roulé et d'un pantalon en tweed marron, il a ainsi l'allure du capitaine Haddock.

2

Henri a comme une intuition, son sixième sens l'emmène à réfléchir. Pendant la course, il a vu quelque chose qu'il pense sans grande importance, alors que… Il est passé à côté d'un crime sans s'en rendre compte. Son esprit de policier reprend le dessus, fini son statut de coureur, il a maintenant revêtu son habit d'enquêteur. Son instinct lui dit que le coureur a été tué, que c'est un crime. Il se souvient de la dispute qu'il y a eu entre deux coureurs dans le peloton. Il se souvient aussi avoir reconnu le maillot du club de Longjumeau sur les épaules d'un des protagonistes. Mais il n'a pas de souvenance du maillot de l'autre. Il se rappelle qu'à côté d'eux, il y avait des coureurs de Juvisy-sur-Orge, de Persan, de Créteil et de Bondoufle. Mais d'où il était placé, il ne pouvait pas savoir lequel était mêlé à cette dispute. Il décide de se rendre sur les lieux de la chute. Sa cuisse et sa jambe droite le brûlent, il se retient pour ne pas se gratter. Pendant une dizaine de jours, les traces laissées par le bitume le perturberont. Il arrive à l'endroit où les coureurs se sont trouvés à terre. Des plots et un ruban jaune protègent la scène du crime. Il passe autoritairement dessous, quand un agent de la police municipal arrive, il lui demande par de grands gestes, de faire demi-tour, qu'il est interdit de pénétrer à l'intérieur de ce périmètre. Henri lui demande d'attendre et il se rend à sa voiture et sort de la boîte à gants ses papiers d'identité. Et il lui présente sa carte de police, l'agent confus aussitôt s'en excuse.

— Excusez-moi, commissaire principal. Je croyais que vous n'étiez qu'un simple coureur qui venait faire le curieux.

— Eh oui, brigadier, je suis coureur cycliste et policier.

— Vous avez participé à la course ? lui demande le policier.

— Oui, j'ai fini quarantième. Ayant participé à la chute et ayant entendu le commissaire parler d'une mort suspecte, je suis venu voir l'endroit où cela s'est passé.

— Le cycliste qui cache un policier, pas mal, répond le brigadier.

Les présentations faites, Henri repasse sous le ruban jaune. Il met ses gants de chirurgien et regarde attentivement le muret. Sur un coin du mur, il aperçoit une touffe de cheveux collés et imbibés de sang. Il prend un sachet plastique qu'il a toujours dans sa poche et il récupère les cheveux, puis il se met en face du muret qu'il contemple sérieusement, il mime le coureur qui tombe, plusieurs choses l'interrogent. Tout d'abord, les cheveux, nous avons tous des casques, donc normalement il ne devrait pas y en avoir. C'est la première question ? Ensuite, le muret est bas au niveau de la route, théoriquement sa tête aurait dû cogner plus haut, c'est une deuxième question ? On s'est servi de ce muret comme arme de guerre. Henri se penche sur le muret et regarde le ru s'écouler lentement, quand son regard est attiré par un tas de paille qui gît dans l'eau.

Eh bien, voilà, on a retiré la paille qui protégeait le muret, voilà pourquoi, il y a des cheveux sur une arête… Voilà une première évidence, maintenant il faut voir pour le casque…

— Ce crime a été prémédité. Mais pourquoi et par qui ? Pour mettre en place ce redoutable piège, il faut être au moins, deux ou trois personnes. Un ou deux coureurs pour le pousser sur ce muret et une troisième personne pour retirer ce ballot de paille. C'est un crime organisé pense Henri. Il interpelle le policier municipal qui le regarde faire son enquête.

— Regardez brigadier, vous avez-vu comment est placé ce muret et regardez-en bas dans le ruisseau, ce tas de paille ? C'est clair pour moi que ce muret a servi pour assassiner le coureur.

— Mais comment ça, commissaire ? demande le brigadier en jetant un bref regard vers le ru. Comment un coureur peut-il tombé comme cela, là sur… euh… sur cette arme, je ne comprends pas ?

— C'est simple brigadier, un coup d'épaule au moment voulu sur le coureur concerné et voilà… Il se cogne au muret, dont la protection a été retirée et… Henri arrête là son explication un fait le perturbe, c'est le casque.

Il n'avait pas son casque au moment de la chute ? Pourquoi se demande Henri ? C'est pourtant obligatoire.

Le brigadier regarde le commissaire qui est dans ses pensées, il est perplexe et il cherche à comprendre. Puis Henri le salue et s'en va, le laissant sur sa faim. La salle des fêtes est pratiquement vide, des coureurs sont encore retenus par les enquêteurs. Le maire, quelques notables et les organisateurs font le pied de grue devant le buffet. On sent une atmosphère chargée d'ions, une tension nerveuse flotte dans l'air. Un homme fait des va-et-vient continus parmi les cyclistes, on le sent perdu, complètement à l'Ouest. Cet homme, à l'allure du capitaine Haddock, c'est le commissaire Lamour chargé de l'enquête. Soudain, en se retournant il aperçoit Henri, il lâche sa pipe et vient au-devant de lui en l'appelant fortement par son nom. Les cyclistes éberlués tournent leur regard vers un homme se trouvant en tenue de sport, ils sont étonnés d'entendre le policier l'appeler commissaire principal.

— Commissaire principal Henri Navarette, bonjour. Que me vaut votre visite ? Le commissaire comprenant sa gaffe en voyant Henri en tenue sportive se reprend et il lui demande s'il a couru.

— Bonjour, Benoist, alors c'est toi qui es chargé de l'enquête. Oui, j'ai participé à la course.

— Ben oui, je me trouvais de permanence au bureau quand on nous a appelés, dit Benoist, on peut s'isoler, car ici il y a trop de monde.

— Vient on va se retirer au fond de la salle. Deux cyclistes sont encore auditionnés, ils prennent la grande table à côté d'eux et ils s'assoient. Henri commence à poser des questions à son ami.

— Alors, Benoist qu'est-ce que tu en penses de ce cycliste mort dans la chute. Où en es-tu dans ton enquête, tu avances ?

— Pour l'instant, le décès est accidentel, même si la scientifique et le médecin légiste pensent le contraire.

— Et tes auditions sur les coureurs cyclistes, cela donne quoi ?

— Les cyclistes ce sont des abrutis, ils répondent à côté des questions, ou alors ils t'engueulent. Pas moyen d'avoir des réponses positives. Ils n'ont rien vu.

— Mais ces cyclistes retenus, ils ont dit quelque chose non ?

— Ceux-là ! Ils ont vu une bagarre dans le peloton, ils ont bien vu le coureur de Longjumeau être bousculé et tombé dans le fossé. Mais c'est tout, s'insurge Benoist.

— Oui, c'est vrai que c'est peu. Moi-même qui me trouvais à côté de cette dispute et bien je ne peux pas te dire ce qui s'est passé réellement. J'ai bien reconnu le maillot de Longjumeau, mais le deuxième protagoniste serait celui qui l'a fait tomber, non. Un coureur de Persan, Créteil, Juvisy ou de Bondoufle, c'est difficile pour moi de dire qui a donné le coup d'épaule.

Benoist est complètement dans les nuages. Pour lui, ce n'est qu'un banal accident de la route, il ne voit pas la gravité de cette affaire. À sa décharge, c'est vrai qu'Henri n'a pour l'instant que des suppositions. Rien pour l'instant pour étayer ses intuitions. Mais Henri, insiste quand même.

— Benoist, écoute-moi bien. Une violente dispute a eu lieu au sein du peloton, un coureur en tombant percute le muret. Ce mur, vu comment il est posé, est une arme redoutable. Pour moi, il y a crime, c'est indéniable. Benoist est désarçonné par mes arguments, il ne s'est plus quoi faire. Voyant son désarroi, j'en profite pour lui donner des conseils.

— Écoute, Benoist, cible les coureurs qui te restent sur les bras, deux ou trois doivent être mêlés de près ou de loin à la chute du cycliste. Ensuite, tu lances tes investigations sur ce muret car la chute n'est pas normale, le point de choc de la tête est trop bas. Et pour finir, enquête sur ce coureur mort et sur les deux ou trois autres que tu auras retenus. Ah ! j'allais oublier, regarde j'ai recueilli une touffe de cheveux, fais-les analyser.

— Mais c'est quoi ces cheveux ? Et pourquoi les analyser ?

— Réfléchis un peu ? Qu'ont-ils sur la tête les coureurs ?

— Euh, je ne sais pas moi, ah si, ils ont un casque.

— Alors pourquoi des cheveux sur le muret ? Renseigne-toi sur ce coureur, avait-il son casque en tombant ? Et puis autre chose.

— Quoi encore ? demande, excédé, Benoist.

— La protection du muret, un ballot de paille, a été retirée et jetée dans le ruisseau, enquête là-dessus aussi.

— Tu parles d'un travail, cela devient compliqué. Bon, je vais voir ce que je peux faire. Faisant partie des coureurs, tu es aussi tenu à ma disposition en cas de besoin. Benoist est quand même malin, en me tenant à sa disposition pour les besoins de l'enquête, il me garde ainsi sous le coude pour l'aider.

— Bon, Benoist, maintenant je peux rentrer chez moi ? demande impatiemment Henri.

— Pas de problème, me répond mon ami affable, mais n'oublie pas, tu restes à ma disposition. Tu fais quand même partie des suspects. Et sur cette boutade qu'il faut prendre au sérieux, il me fait un clin d'œil.

En roulant, Henri réfléchit. Que s'est-il passé dans le peloton ? Ce crime prémédité, à qui profite-t-il ? Règlement de compte, jalousie ou problème de drogue ? Il roule tranquillement sur la Francilienne, content d'avoir bien participé à cette course. Deux ans sans courir, c'est beaucoup, mais les circonstances de la vie, on fait qu'il arrête tout. La mort de sa femme dans un accident de voiture, puis son adjoint abattu froidement devant lui, toutes ces affaires l'ont perturbé. Sa hiérarchie voulait qu'il aille voir un psy, mais lui ne voulait rien savoir, il fallait qu'il se reconstruise tout seul. Et seul, il avait remonté la pente, avec beaucoup de difficultés, c'est vrai. Pour preuve, cette course cycliste qu'il finit à la quarantième place. Un regard dans le rétroviseur, Henri aperçoit son fantôme assis à l'arrière, la belle femme est là, lascive et latine. Il ne bronche pas, habitué à la voir. Il s'est imprégné d'elle, jusqu'à dominer ses sentiments envers elle. Il est toujours amoureux de son fantôme et il vit virtuellement avec elle. Un jour, elle apparaît, un jour elle disparaît.

C'est un amour éphémère qui dure une éternité. Il arrive enfin chez lui, il est deux heures de l'après- midi. Après avoir suspendu son vélo, rangé ses affaires de cycliste, il va prendre une bonne douche très chaude. Puis il s'habille tout simplement d'une chemise bleu marine avec un pantalon noir. Une veste par-dessus le tout pour supporter le petit froid qui sévit sur la région. Puis il s'en va vers son restaurant fétiche au Golf de Bondoufle. Il est à peine installé que son portable sonne. Il décroche et reconnaît la voix de Benoist. « Eh bien dit donc ! Il n'aura pas tardé », se dit Henri. C'est vrai que dans la police, il avait sa réputation le pauvre Benoist, pas futé, n'aimant pas les enquêtes compliquées. Un peu fainéant sur les bords et imbus de sa personne. Henri se doutait qu'il allait appeler, car l'enquête dans le milieu cycliste ne devait pas être facile pour lui. Il va sûrement demander au commandant Pulvar de lui retirer l'enquête. Henri le sent, mais bon, pour l'instant, on n'y est pas encore rendu là. « Voyons voir ce qu'il me veut », se dit Henri.

— Allo, Benoist, que se passe-t-il ? Tu as du nouveau ?

— D'après certains coureurs, quand ils se sont bagarrés au sein du peloton, celui qui est décédé a retiré son casque pour le balancer sur la tête de son voisin, ce qui a provoqué la chute.

— Bien, voilà cela avance, lui répond Henri. Et la chute du coureur sur le muret ?

— Eh bien, demain, une équipe de la scientifique va aller sur place et analyser la scène de crime.

— Parfait, cela, donc tu soutiens ma thèse d'un crime. Hein ! Benoist. Pas de réponse, seulement un petit ricanement et un bref salut. Puis Henri entend le bruit de la fermeture du portable.

« Il n'a quand même pas de réflexion ce pauvre Benoist », pense Henri. Il fait signe au serveur de venir le servir.

— Bonsoir commissaire, alors ça va ? La course s'est bien passée ?

— Oh oui, Vincent, cela va faire des mois que je m'entraîne, que je souffre pour arriver au bon niveau et bien ces entraînements ont porté leurs fruits, je finis quarantième. Pour ma première, c'est bien.

— Bien, commissaire, vous allez l'avoir votre bouquet de fleurs, je vous le dis-moi. Vous prenez une coupe de champagne pour arroser ça, je vous l'offre.

— D'accord Vincent, ensuite je prendrais un tournedos Rossini, accompagné d'un verre de Crôze-Hermitage et je finirais par une crème brûlée.

— Que du classique, commissaire !

— Eh oui, Vincent, je suis comme ça.

Vincent est un grand gaillard svelte, des lunettes aux verres bien ronds aux montures ciselées posées fièrement sur son nez, légèrement aquilin. Le jeune homme est du genre calme, au restaurant, ses collègues disent de lui qu'il est le « Mac-Gyver », qu'il a des solutions à tous problèmes. Après avoir bien dîné, Henri rentre à son domicile. Et, c'est devenu une habitude maintenant, sa dulcinée, cette femme latine l'accompagne encore. Son amour de fantôme est là, un grand sourire à ses lèvres. Henri se comporte comme s'ils étaient en couple, parfois même il lui parle mais bien sûr, elle ne répond pas. La route défile sous les lumières blafardes de la voiture, dix minutes après, il se gare devant sa maison. Il se dirige vers sa chambre, n'ayant qu'une idée : dormir. Que Morphée le prenne dans ses bras ! La course cycliste et l'enquête sur ce crime ont eu raison de lui. Et il s'endort comme un beau bébé.

Les jours se suivent mais, ne se ressemblent pas, dit le dicton. Et c'est vrai, hier il y a eu un beau temps et aujourd'hui, ce sont des nuages noirs très bas qui crèvent comme des baudruches, inondant la chaussée. Une pluie diluvienne s'abat sur la carrosserie des voitures, les piétons, tous munis de parapluies, se protègent de cette chape humide et marchent à grands pas. Il est sept heures trente à sa montre. Au 36 Quai des Orfèvres, le commissaire Lamour se débat avec son enquête. Il s'emmêle les crayons avec les cyclistes qu'il a mis en garde à vue, impossible de savoir qui dit vrai. Deux ne sont pas nets, mais il a aussi un doute sur les deux autres. Par défaut, il les a mis en garde à vue. Il a la journée pour les maintenir ainsi, sinon il devra les relâcher, tous les quatre. Incidemment, il pense à Henri Navarette. Son ami avait une réputation d'enfer, on le comparait à Hercule Poirot, le détective belge. Lui, il saurait quoi faire. « Mais c'est moi qui suis chargé de l'enquête », se dit-il. Secrètement, dans un coin de son cerveau, il aimerait bien être déchargé de cette affaire. Et puis Henri, étant coureur cycliste, ce serait logique qu'on lui demande de prendre en main cette enquête. Il regarde les résultats d'analyse de la scientifique. Ouais, des empreintes, il y en a, mais de qui sont-elles ? De l'assassin, des assassins ! Il avait un doute. Il pousse toutes les feuilles de côté. Puis, il lit les dépositions des dix coureurs auditionnés, cherchant où est la faille, ces hommes ont tous côtoyé le coureur mort. Ils ont tous vu quelque chose qui s'est passé dans le peloton, mais sans pouvoir dire quoi. Les quatre derniers mis en examen étaient auprès du cycliste quand il est tombé. Mais lequel l'a poussé sur ce muret ? Il lit les quatre noms qui lui semblent être les principaux suspects. Jérôme Piréot de l'US Longjumeau, Denis Chisto de la CSM Puteaux, Jean Armant du BAC de Bondoufle ou Didier Aumont de Juvisy. Lequel est l'assassin ?

Aucun n'est fiché, aucun n'est connu des services de police. Ce sont des coureurs moyens de bon niveau, mais pas des champions. Benoist est dans une impasse, il ne sait plus quoi faire. Il appelle son adjoint et il lui demande de préparer la salle d'interrogatoire. Il arrive auprès de la vitre sans tain et il regarde l'individu, le prévenu est là assis, il semble tranquille et calme. Il a troqué ses habits de cycliste par un survêtement de jogger. Le capitaine arrive et tend un dossier à Benoist.

— Capitaine Marcelo Pandéla, nous allons procéder à l'interrogatoire de ces quatre coureurs, si nous n'avons rien contre eux, je vais être obligé de les relâcher.

— Oui, commissaire, allons-y, nous avons la journée pour trouver celui qui a poussé ce pauvre cycliste.

La journée passe rapidement, le commissaire ne trouve pas une seule preuve de leur culpabilité. Rien à se mettre sous la dent. Tous les quatre sont évasifs, ils ont bien vu une dispute dans le peloton, mais quels sont les coureurs concernés, ils ne le savent pas ou alors, ils ne veulent rien dire. Benoist sait qu'un des quatre ment, mais lequel ? Ces cyclistes sont fabriqués dans le même moule, ils ont tous les mêmes réponses. Benoist en perd son latin, dans cet imbroglio, il ne se retrouve pas. Il continue à les interroger, à les bousculer. Il les menace, mais rien. Chacun campe sur ses positions. À vingt heures, le temps de la garde à vue étant terminé, le commissaire, à regret, doit les relâcher.

Le commissaire Lamour rejoint son bureau résigné, il est dans les nuages, l'enquête lui échappe déjà. Il appelle son adjoint Marcelo, ils ont tous les deux la tête des mauvais jours. Faute de preuve, ils ont dû relâcher les suspects. Et peut-être qu'ils ont libéré l'assassin. Le commissaire est éreinté, il prend la parole, il a la voix défaillante et il a une envie de bâiller.

— Qu'avons-nous sur ce cycliste mort, demande-t-il d'une voix éteinte ? À part qu'il s'appelle Jérôme Piréot et qu'il est sociétaire de l'US Longjumeau. Marcelo, il faut que tu essaies de voir le président et l'entraîneur de ce club. Récolte le plus de renseignements possible sur ce coureur. Moi, demain, je vais voir le commandant. On se voit vers les onze heures. Aller, basta, j'en ai marre.

— À demain, chef, répond évasivement Marcelo.

Le lendemain est une journée toute relative comme si la météo rythmait les journées. Le beau temps rend les cœurs légers, et de la gaieté dans les têtes. Benoist a la tête des mauvais jours, la météo n'a aucune influence sur lui. Cette enquête sur le cyclisme l'obsède, il n'avance pas d'un pouce, il est au point zéro. Il est éreinté, usé par les cyclistes qui lui répondent à côté de la plaque. « C'est l'omerta totale, pire que la mafia », se dit-il. Un mort, des empreintes inexploitables, quatre coursiers suspects et pas de preuves tangibles. Dans le milieu cycliste, c'est le silence total. Les coureurs n'ont rien vu, c'est à peine s'ils ont eu connaissance d'une dispute. Pour certains, c'est une chute normale qui s'est mal terminée. Pourtant, il y a ces cheveux sur ce muret, le coureur qui a enlevé son casque et la paille retirée du muret ? Il y a bien présomption de meurtre. Benoist a le tournis, sa tête est dans un tourbillon de question sans réponse. D'un pas pesant, comme si toute la misère du monde se trouve sur ses épaules, il se dirige vers le bureau du commandant Pulvar. C'est avec regret qu'il va lui demander de lui retirer l'enquête, c'est la première fois dans sa carrière qu'il va faire cette démarche. Il se sent diminué, il se trouve dans la peau d'un perdant.

Après avoir argumenté ses réticences pour résoudre cette enquête au commandant, Benoist se trouve d'un seul coup libéré. Le commandant l'a écouté sereinement, il sait que le commissaire est un homme limité dans ses actions, mais qui a du courage et de la ténacité pour résoudre ses enquêtes. Et là, il a en face de lui un homme éteint, fatigué. Le milieu du cyclisme ne lui va pas.

— Bon ! Je vous ai écouté, commissaire. J'accède humainement à votre demande, car je ne vous vois pas dans un bon état. Cette enquête dans le milieu cycliste me paraît compliquée, je vais la confier à votre collègue Henri Navarette. Et puis comme il est cycliste et qu'il se trouvait dans la course, ça va lui être plus facile. Pour l'instant, prenez quelques jours de repos, vous en avez besoin.

— Bien, commandant. C'est vrai que mon collègue s'en sortira mieux que moi. Et comme il était dans le peloton pendant l'altercation entre les coureurs et qu'il était aussi dans la chute…

— Eh bien, vous voyez, c'est l'homme de la situation, commissaire.

Sur ces belles paroles, les deux hommes se quittent. Le commandant est soulagé qu'il demande lui-même son retrait de cette enquête. Des échos sont venus à ses oreilles, à son secrétariat ils disaient qu'il pataugeait, qu'il n'avait pas la pointure pour régler cette affaire.

3

Henri est grand et mince, sa moustache commence à grisonner et ses cheveux poivre et sel lui cachent légèrement les oreilles. De fines lunettes sont posées sur un nez aquilin, le faisant ressembler à un intellectuel. Il est habillé sobrement d'un polo vert, d'une veste bleue et d'un Jean US. Ces origines bretonnes se ressentent dans sa façon de s'exprimer, directe et sans fioriture. Il est d'apparence, froid et distant mais il a le cœur sur la main. Comme tout bon Breton, il est têtu et solide comme les rochers de la côte sauvage.

De bon matin, il est déjà à son bureau. Studieusement, il règle quelques dossiers. La capitaine Clara, toujours aussi pimpante arrive avec deux petits délicieux cafés. La bonne odeur qui sort des tasses embaume le bureau. Henri s'inquiète de ne pas voir le capitaine Spinéla et pose la question auprès de Clara.

— Le capitaine Spinéla n'est pas là ? Pourquoi ?

— Non ! commissaire, il vient de partir faire son enquête sur l'affaire d'un vol avec agression à la Bastille.

— Ah oui, l'affaire Dujardin, cela avance cette histoire de vol ?

— Oui, François a trouvé l'agresseur et il va le mettre en garde à vue.

Henri, tout en dégustant son café, observe Clara. Le soleil lance ses pâles rayons à travers la vitre, se reflétant sur son joli visage angélique, accentuant encore plus ses origines vietnamiennes. C'est une jolie Eurasienne avec de grands yeux en amande et des cheveux noirs lui tombant sur les épaules. Visage angélique, mais attention, elle a du caractère. Mais ce qu'Henri préfère le plus d'elle, c'est son organisation méticuleuse. Le travail minutieux qu'elle s'applique à faire en créant des fiches sur les prévenus, avec des précisions et des détails de chaque instant de leur vie. C'est phénoménal. Clara est arrivée dans le service après le décès de son adjoint abattu d'une balle dans la tête.

Ils sont tous les deux dans leurs pensées, quand le bruit strident du téléphone les dérange. Henri décroche et il reconnaît la voix puissante du commandant Pulvar.

— Commissaire principal Navarette, ça va ?

— Oui, pour l'instant le service ronronne, cela nous permet de récupérer de notre dernière enquête, commandant Pulvar.

— Justement, j'ai une nouvelle enquête à vous confier, venez tout de suite à mon bureau, je vous attends.

Un clic et Henri entend le bourdonnement du téléphone, le commandant a à peine terminé sa phrase qu'il a raccroché. Il se demande quelle enquête va lui confier son patron. C'est vrai que le service marche en ce moment au ralenti, des petites enquêtes concernant des vols dans des maisons, des agressions. Pas de quoi fouetter un chat. Clara regarde son chef. Elle a une question à lui poser, mais elle n'ose pas. Mais Henri comprend que le capitaine a une demande à lui faire. Rien qu'à voir ses petits yeux en amande, sa bouche pulpeuse, il voit bien qu'elle brûle d'envie de lui parler.

— Alors Clara, j'ai l'impression que vous avez une question à me poser, j'ai raison ?

— Oui commissaire. Dans les couloirs, on parle beaucoup d'une course cycliste où il y aurait eu un cycliste de tuer, c'est vrai !

— Oui, c'est vrai. Ce sont des choses qui arrivent.

— Il paraît que vous y étiez dans cette course et que vous avez vu le coureur se faire tuer. C'est Marcelo, l'adjoint au commissaire Lamour qui nous a dit cela. D'après lui, l'enquête est difficile et le milieu du cyclisme est bizarre, c'est l'omerta pire que chez les Corses.

— Non ! Je ne l'ai pas vu se faire tuer, mais j'étais dans la chute, ça, c'est vrai. Le milieu du cyclisme est spécial, ça aussi c'est vrai. Vous savez Clara, les cyclistes sont comme les purs sangs, ils sont pleins de nerfs à l'approche des courses et ils sont fragiles. Il faut savoir les prendre. Bon, maintenant, je vais voir le commandant. À tout à l'heure.

Henri arrive au bureau du commandant qui l'accueille jovialement. Ce qui est rare de la part d'un homme réputé austère et froid. Le commandant attaque, bille en tête sur le cyclisme. Henri ne comprend pas où il veut en venir mais il le laisse terminer sans l'interrompre. Mais, quand il en vient à parler du commissaire Lamour, cela fait tilt dans sa tête. Les rumeurs que le commissaire avait des difficultés à résoudre cette enquête sont donc bien vraies.

— Bon, commissaire Navarette, à partir d'aujourd'hui, et cela à la demande de votre collègue Lamour, vous êtes chargé de l'enquête sur le meurtre du coureur de Longjumeau à Combs-la-Ville.

— Ah ! Bon, il vous a demandé de lui retirer l'enquête, cela n'est pas fréquent, je dirais que c'est plutôt l'inverse qui arrive normalement. Mais c'est vrai qu'il avait du mal, dit simplement Henri.

— Oui, c'est vrai, répond énergiquement le commandant. Nous avons estimé que vous étiez celui qui le mieux saurait dénouer cette affaire. Vous êtes coureur cycliste. Vous étiez présent à cette course et puis c'est votre milieu. Vous connaissez les coureurs, les courses, les présidents de club. Bref, vous êtes l'homme de la situation. Voilà le dossier, allez voir le commissaire Lamour, il vous attend pour vous expliquer les grandes lignes de son enquête. Allez, bon courage et réglez cela rapidement. Tiens, comme un sprinteur, avec lucidité et rapidité commissaire.

Henri, le dossier à la main se rend à son bureau, le sourire aux lèvres en écoutant la dernière réflexion de son chef. Cette enquête, je vais devoir l'emmener d'une façon exemplaire, c'est peut-être un avantage que j'ai, car c'est mon sport préféré, mais c'est aussi un inconvénient. Il va falloir que je marche sur des œufs, car les cyclistes sont susceptibles. « Il ne faudrait pas qu'ils me prennent en grippe », se dit Henri. D'ailleurs, il ne faut pas qu'ils sachent que je suis chargé de l'enquête, sinon je risque de voir les portes se refermer et pourquoi pas, qu'un petit malin me pousse dans les décors. Avec Clara et François, j'ai une bonne équipe solide et elle est au top niveau, j'ai une grande confiance en eux. Henri prépare minutieusement son briefing, afin de mettre en place son équipe, de bien les orienter. Puis il appelle ses capitaines.

— Clara, il vous reste encore de votre fameux café. Bon, eh bien, venez rapidement tous les deux à mon bureau.

Quinze minutes après, Henri déguste son café, savourant chaque instant de ce délicieux arôme, laissant un peu mijoter ses deux capitaines. Il faut reconnaître que Clara savait faire du bon café. Devant lui, un gros dossier est ouvert. Le commissaire a étalé toutes les photos et les documents officiels sur son bureau. Clara, en regardant bien, voit des photos de cyclistes. Elle commence à comprendre. Le commissaire a été chargé de l'enquête sur le meurtre de la course cycliste, pense-t-elle. Elle attend que son chef parle, qu'il explique comment ils vont travailler. Par habitude et avant que son chef le lui demande, elle se lève et se dirige vers le tableau blanc fixé au mur. Elle prend les feutres rouge et bleu, et elle attend. Le capitaine Clara Analila est dans le service depuis deux ans, et le commissaire, elle commence à le connaître. Elle sait que son premier travail sera de tenir à jour ce tableau blanc. Tableau blanc coupé en deux d'un grand trait rouge à l'horizontale, la fameuse ligne de démarcation mettant le positif en haut et le négatif en bas. Le commissaire appelle cela, le « fil conducteur de l'enquête ». Et elle attend impatiemment. Henri commence, en donnant une photo à François, qui la regarde, puis la donne à Clara qui la colle sur le tableau.

— Il s'agit du coureur qui a été tué pendant la course cycliste. Il s'appelle Jérôme Piréot demeurant 10 rue des Acacias à Longjumeau. Il est sociétaire de l'US Longjumeau depuis trois ans. Jeune coureur de 20 ans. Très prometteur.

Henri tend quatre autres photos, puis regarde le tableau. Clara, avec son écriture d'universitaire, a noté les premières informations. Elle prend les photos que lui tend François. Lui aussi prend des notes sur un petit carnet. Elle colle les photos au tableau et sous chacune, elle inscrit le nom des personnes.

— Ces quatre coureurs sont pour l'instant que des suspects. Ils étaient les plus près du coureur Piréot quand il y a eu la chute. Il s'agit de : Marcel Campion de US Créteil, de Denis Cristo du CSM Puteaux, de Jean Armant du Bondoufle A.C et de Didier Aumont de l'Étoile juvisienne. Ces quatre coureurs ont été retenus sur la centaine de coureurs auditionnés. Pour ma part, je pense qu'il n'y a qu'un de ces coureurs qui a poussé son collègue sur le muret. Maintenant, il faut trouver lequel.

— Commissaire, comment allons-nous travailler ? L'enquête me paraît compliquée. On a entendu beaucoup de choses sur cette course dans les couloirs, le commissaire Lamour dit qu'il ne s'en sort pas, s'inquiète Clara. Vous, vous connaissez le monde du vélo, mais nous on ne connaît rien. Comment allons-nous faire ?

Clara s'inquiète à juste titre. Le milieu du vélo est très fermé, très hermétique. Il faut y vivre avec les coureurs pour les connaître. Pour cela, Henri est armé, plus de quinze ans dans le milieu, il en connaît tous les rouages.

— Bon et bien, nous allons pratiquer de la façon suivante, reprend énergiquement Henri, ne voulant pas que son équipe tombe dans la sinistrose. Moi, je ne suis pour l'instant qu'un coureur curieux. On ne parle pas de mon statut de policier au monde du cyclisme. Le temps que je fasse ma petite enquête au sein du peloton. S'il découvre que je suis flic, les portes se fermeront sur moi. Par contre, vous deux, vous enquêtez officiellement, vous êtes les flics chargés de l'enquête.

— Cela n'est pas un peu tiré par les cheveux, commissaire ? demande François, qui est encore inquiet.

— Oui, c'est vrai, j'ai intérêt à jouer finement, car si l'assassin découvre qui je suis, il est capable de m'envoyer dans le décor, et je n'ai pas envie de finir comme ce pauvre coureur.

— Une autre question, demande François, comment a fait le coureur assassin pour faire tomber le coureur, pile-poil sur ce mur ?

— C'est simple et compliqué en même temps. La stratégie de ce meurtre a été décidée à l'avance. Le coureur assassin a repéré à l'échauffement l'endroit où il devait opérer. Deux cents mètres avant le panneau, le coureur assassin se place auprès du coureur, le poussant tranquillement à rouler sur le bas-côté de la route, puis le moment voulu, un coup d'épaule énergique et hop, l'affaire est faite.

François a écouté les explications du commissaire, cela lui paraît un peu tirer par les cheveux. Mais l'expérience a parlé et il en prend acte, se disant que le cyclisme est un sport d'homme fort. Un moment de pause, pour laisser Clara remplir son tableau, puis, Henri continue quand on frappe à la porte. C'est le commissaire Benoist Lamour et son adjoint qui viennent nous donner des renseignements sur l'affaire. En voyant leur tête, Henri sent qu'il y a un problème.

— Bonjour, Benoist, tu tombes bien, on parlait justement de ton enquête. Ton dossier est bien monté, mais il n'y a pas assez d'éléments concrets pour désigner un potentiel assassin.

Benoist a envie de parler, mais il ne trouve pas les mots. Il se sent ridicule devant Henri qui a pris les rênes de l'enquête. Sa fierté de policier en prend un coup. Henri le comprend et lui demande ce qui se passe.

— Écoute, Henri, j'avais chargé Marcelo de faire une enquête auprès des présidents de club, il s'est fait pratiquement jeter. Puis, il s'est rendu chez les quatre suspects, afin de faire des recherches autour de leur vie familiale. Tiens, vas-y continu Marcelo. Benoist est content de refiler le bébé à Marcelo. Cette enquête lui prend la tête, il en a ras le bol des cyclistes. Le commissaire a atteint les limites du supportable. Marcelo, content de prendre le relais de son chef, explique les recherches qu'ils ont effectuées.

— J'ai réussi à trouver trois des quatre coureurs que nous avons dû libérer, faute de preuve. Je les ai questionnés, ils m'ont répondu comme d'habitude qu'ils avaient bien vu une bagarre dans le peloton et qu'ensuite ils ne savaient rien car ils étaient tous tombés. C'est à croire que dans la course, ils sont tous aveugles et sourds. Et le quatrième coureur, comment s'appelle-t-il ? demande Henri.

— Il s'agit de Marcel Campion de l'US Créteil et il demeure à Limeil-Brévannes.

— Et qu'est-ce qu'il a ce coureur ? insiste Henri, sentant un malaise.

— Je me suis rendu à son domicile, il habite un appartement dans le quartier de la Sémaroise, la rue des Fauvettes. Je ne trouve personne, les volets sont baissés. Je suis allé voir le gardien qui m'a dit qu'il l'avait vu rentré lundi soir et que depuis, il ne l'avait plus vu.

« C'est quand même bizarre », se dit Henri. Il réfléchit. Cette disparition est étrange vu les circonstances. Aurait-il pris la fuite ? Est-ce lui l'assassin ?

— Bien vous deux, vous allez accompagner Marcelo au domicile de ce coureur. Demandez au gardien de vous ouvrir la porte et faites une perquisition chez lui. Henri prend une feuille bleue, il inscrit le nom et l'adresse du lieu de perquisition. Et il tend le document à Clara.

— Tenez, capitaine Analila, voici l'autorisation de perquisition. Faites vite. Benoist et moi-même on vous attend.

L'équipe de choc partie, Henri a une longue discussion avec Benoit. Tous les deux se mettent à étudier le dossier. Benoist est soulagé, il coopère largement au travail d'Henri. La catastrophe arrive une heure après, à la suite du coup de téléphone de Clara. L'affaire se complique. Henri et Benoist se lèvent de concert apprenant la nouvelle.

— Bien, j'appelle la scientifique et nous arrivons.

— Henri est perplexe, la découverte de ce deuxième mort complique encore plus l'enquête. Tu m'accompagnes Benoist ?

— Oui, je te suis, répond évasivement Benoist, n'osant rien refuser à son collègue.

Henri prend une voiture de service, une Clio bien nerveuse. Il pose le gyrophare sur le toit, la lumière bleutée explose sur les murs du parking souterrain. Il prend la direction de l'Est et une demi-heure plus tard, ils arrivent à destination. Le quartier est un ensemble d'immeubles de six étages, c'est un endroit un peu difficile de la ville de Limeil-Brévannes, des voitures et des poubelles sont souvent en feu, des graffitis fleurissent sur les murs, la zone est classée en ZEP. Devant l'entrée de l'immeuble, il y a un attroupement, tous les voisins sont là par curiosité. Les policiers ont du mal à les contrôler. Clara vient à notre rencontre, sa démarche chaloupée, ses cheveux volant au vent et sa jupe tombant au niveau de ses genoux montre de magnifiques jambes bien fuselées, attirant le regard des hommes du coin.

— Commissaire, Marcelo et François sont devant la porte de l'appartement, car les gens veulent y entrer. J'ai appelé le commissaire de la ville, il devrait arriver avec des renforts.

— Bien, montons voir.

Arrivé à l'étage le commissaire met des recouvre-chaussures, une blouse blanche, une charlotte et des gants jetables. Clara et Benoist en font autant. Il ne fallait surtout pas polluer l'endroit. L'appartement est propre, pourvu de meubles classiques. Clara pousse la porte de la chambre, l'odeur de la mort les éclabousse fortement. Quelques mouches bleues volent au-dessus du corps. Le lit n'est pas défait, Marcel Campion est allongé sur les couvertures. Il est vêtu d'un survêtement sportif aux couleurs de son club. Il est droit comme un i, ses bras longeant son corps. Ses yeux sont grands ouverts, les pupilles dilatées. La chambre est bien rangée. Sur un cintre à roulette, que l'on appelle un valet, se trouve son équipement cycliste, le maillot à manches longues bien posé avec le cuissard. Les socquettes blanches étalées sur les chaussures et le casque à même le sol. Henri sort de la chambre et se dirige vers la cuisine. Sur la table, il y a un bidon, la boîte d'Isostar et des barres énergétiques. Dans le salon, il y a un poste de télévision grand écran, une table et quatre chaises. Un meuble bahut mange un pan de mur et auprès du poste de télé, il y a un ordinateur avec un grand écran de couleur noire. Un téléphone portable est en charge, posé sur le sol. Henri trouve cela trop propre, trop bien rangé. Ses vêtements cyclistes sont préparés comme s'il allait faire une sortie d'entraînement, tout cela ne colle pas. Cela sent de la mise en scène. La scientifique arrive tout de blanc vêtue, ils investissent l'appartement. Henri fait signe à tout le monde de sortir. Sur le palier, ils tombent sur le commissaire de la ville de Créteil. Il en impose le lascar avec sa carrure de Sumo posé dans un costume trop large. Son pantalon aux jambes flottantes est tenu par de larges bretelles qui ont des motifs de touches de piano sur un fond jaune. Sa grosse tête fait peur à voir. Il a de gros sourcils bien noirs qui lui tombent sur les yeux et de grosses moustaches qui lui mangent la bouche. Un géant ce mec, digne d'un roman de Frédéric Darc. « Il serait très bien avec Bérurier », pense mentalement le commissaire. Il tend de grosses paluches à Henri qui le salue d'une main levée évitant ainsi l'étau. Il se présente de son accent rocailleux du midi. Même dans sa présentation, il en impose.

— Commissaire divisionnaire Jason Lapluche de la PJ de Créteil, pour vous servir. Bonjour, Madame, Messieurs.

— Capitaine Clara Analila, commissaire Benoist Lamour et moi-même commissaire principal Henri Navarette. Nous sommes du quai d'Orsay et je suis chargé de l'enquête sur le meurtre d'un cycliste dans une course répond Henri.

Et le commissaire divisionnaire, de sa voix puissante, commence à poser ses questions. Henri espère que ce policier ne vient pas pour s'imposer sur l'enquête, il en a le droit, étant donné que l'on se trouve sur sa juridiction.

— Alors que s'est-il passé ici ? Un suicide, un meurtre ? Je peux avoir des explications, tonne le grand gaillard.

Henri commence légèrement à s'énerver, ce commissaire avec son autosuffisance lui tape sur les nerfs. Il va pour lui répondre quand Clara, sentant le malaise et surtout qu'elle connaît bien son chef, prend la parole.

— Commissaire divisionnaire, c'est moi qui ai découvert le corps. À la suite d'une commission rogatoire, je dois auditionner le coureur et perquisitionner son logement. Comme il ne nous répond pas, j'ai demandé au gardien de nous ouvrir et nous l'avons découvert, allongé sur le lit, il était mort. Voilà c'est tout.

— Et pourquoi vous enquêtiez sur lui ? demande le commissaire Lapluche.

Henri qui avait repris son calme lui répond.

— Ce coureur fait partie des suspects du crime qui a eu lieu sur la course cycliste de Combs-la-Ville. Pour l'instant, ce n'est qu'une enquête de routine, rien qui nous autorise à dire qu'il est le tueur.

— Ah oui, j'en ai entendu parler à la PJ, un de nos policiers qui est coureur cycliste, nous en a dit quelques mots sur cette affaire. Il nous a dit qu'il y avait eu une chute et qu'un coureur ne s'était pas relevé. Lui, il est arrivé au commissariat avec la figure abîmée. Bon, je vais vous laisser travailler, j'ai d'autres chats à fouetter, moi, mes chers collègues. Henri est soulagé de voir le commissaire se désengager de l'enquête, avant qu'il parte, il lui demande le nom du policier cycliste.

— Brigadier Laurent Quesneau, c'est un Breton. Tchao !

Et d'un pas de pachyderme, le commissaire Lapluche s'en va. Chaque fois qu'un de ses pieds touche les marches, les escaliers remuent comme dans un tremblement de terre. François arrive, il a fait une petite enquête de voisinage et il vient en rendre compte au commissaire.

— Alors, d'après le gardien, ce logement fait partie du contingent municipal. La ville de Limeil-Brévannes le loue à la ville de Créteil pour loger leurs coureurs. D'après les voisins, c'est un garçon calme qui passait son temps à faire du vélo. Il racontait à tout le monde qu'il allait devenir pro et qu'il faisait tout pour cela. Il travaillait pour la ville de Limeil comme animateur pendant le temps de la restauration.

— Avait-il de la visite ? Quelles étaient ses fréquentations ? demande le commissaire.

— Oui, des amis cyclistes, il y a deux hommes qui venaient fréquemment le voir, ils devaient être ses dirigeants.

— Et c'est tout ?

— Ah ! si, une fois, le gardien a dû intervenir. Il avait organisé une petite fête chez lui. À deux heures du matin, ils ont fait du raffut, la musique était très forte et les jeunes étaient soûls. Certains jetaient des bouteilles par la fenêtre. Le lendemain, les voisins se sont plaints au gardien de ce vacarme.

Henri va voir où en est rendue la scientifique, puis il revient vers Clara et François. Ses neurones tournent à fond. Il est pressé de savoir comment est mort le coureur. Et comme à son habitude quand une affaire compliquée lui tombe sur le dos, il a un tic, c'est de passer sa main gauche sur son crâne qui commence à se dégarnir. De sa voix autoritaire, il commence à donner des ordres. Signifiant ainsi que l'enquête démarre. Henri aime ce genre de situation.

— Bon, chers collègues, ce n'est pas la peine qu'on reste tous là, à attendre les recherches de la scientifique. François, demandez au club de Combs-la-Ville qu'il vous donne le cahier d'émargement signé par les coureurs et la liste des engagés de la course. Clara, tenez-moi à jour le tableau et faites-moi les fiches concernant les deux coureurs morts et aussi des trois autres coureurs libérés. Moi, j'attends les informations de la scientifique et je vous rejoins. Ah, François récupère l'ordi et le portable et travaille dessus aussi.

Sur ce, les deux capitaines les bras chargés du matériel récupéré, partent et Henri reste seul. Il regarde par la fenêtre du palier et il voit l'attroupement qui a encore amplifié. La police a du mal à les contenir, le commissaire est encore là, donnant des ordres aux policiers. Henri réfléchit à cette enquête qui commence mal à son goût, quand il est dérangé par le médecin légiste.

— Bien, commissaire, à première vue, cela serait un suicide par overdose de cocaïne. Mais j'ai un doute.

— Quel doute, docteur ? demande Henri en fronçant les sourcils.

— Les yeux grands ouverts, exorbités avec les petits vaisseaux qui ont éclaté, cela ressemble plutôt à un manque d'air, comme si on l'aurait étranglé ou étouffé.

— Vous avez trouvé des traces sur son cou ?

— Non, mais à l'autopsie je le saurais. Je vous tiens au courant commissaire.

Le médecin partit, c'est au tour du responsable de la scientifique de faire son rapport.

— Commissaire, nous avons trouvé des sachets de cocaïne sur sa table de nuit, il y a des empreintes de doigts un peu partout. Sinon l'appartement semble avoir été nettoyé après sa mort, comme si on voulait faire disparaître des traces. Mais dans la salle de bain, j'ai trouvé un liquide sur le carrelage qui me paraît bizarre et j'en ai fait un prélèvement.

— Bien, envoyez-moi votre rapport. À mon avis, il y a du dopage dans l'air que cela ne m'étonnerait pas.

— Oh oui commissaire, il y a comme des relents de Festina dans cette mort. Je vous envoie le rapport par mail.

Henri retourne dans l'appartement, les hommes de la scientifique rangent leurs affaires et s'en vont. Les pompiers mettent le coureur sur un brancard, un drap blanc entoure entièrement le corps. « Et dire que j'ai couru avec lui dimanche », se dit Henri. Il le regarde partir vers son destin final, une salle d'autopsie froide l'attend. Rien que d'y penser, le commissaire en frémit. Henri jette un œil partout puis s'en va. Un policier met les scellés sur la porte. Et tout le monde quitte les lieux. Henri en fait autant et se rend à son bureau, la tête pleine de questions. Cette mort est suspecte, un crime caché en suicide… Pourquoi ? Les paroles du médecin légiste et du scientifique lui reviennent en mémoire. Mort par étouffement ou par étranglement, des traces d'un liquide bizarre sur le carrelage de la salle de bain. Cela a des relents de l'affaire Festina… Quelle suite va avoir cette enquête ? Le commissaire arrive à son bureau, il demande à ses deux adjoints de le rejoindre. Puis, il leur commente ce que lui ont dit le médecin légiste et la scientifique. Clara et François prennent des notes. Puis François intervient.

— J'ai réussi à joindre le président de la Pédale Combs la Villoise, un gars charmant entre parenthèses, il va m'envoyer les documents par mail. Actuellement, nous travaillons sur les fiches avec Clara.

Henri regarde sa montre, il est près de Midi.

— Bon, en attendant les analyses de la scientifique et de l'autopsie, que vous ayez fini votre travail, je vais aller m'entraîner. Car dimanche, je cours à Ablon et la course est difficile avec une belle côte à monter. Je serais de retour pour dix-sept heures. Allez, bon courage.

— Bon entraînement commissaire, vous allez peut-être voir le policier de Créteil à cette course. Laurent Quesneau qu'il s'appelle, je crois, et c'est un Breton comme vous.

— Oui, ce sera l'occasion de parler avec lui, qui sait, il a peut-être vu quelque chose dans cette course à Combs-la-Ville qui nous a échappé, qui sait…

Henri tout en conduisant pense que cela serait bien si ce coureur et policier a des renseignements à lui donner. Était-il près de la chute ? Avait-il vu quelque chose avant cette chute ? Il sera intéressant que je le rencontre.

Qui sait, le moindre indice que je peux récolter aura son importance.

4

Cela fait une demi-heure qu'Henri roule sur une route sinueuse, le temps est mi-figue, mi-raisin, il se trouve à l'aise et facile. Il ne pleut pas, c'est l'important. Il approche du faux plat de Boinveau, cela monte tranquillement sur deux kilomètres et il finit sur une légère côte de deux cents mètres. À mi-parcours, il accélère l'allure pour améliorer ses qualités de grimpeur. Et sur le final, il est carrément au sprint, il tourne à droite et il continue sur sa vitesse. Son compteur flirte les quarante kilomètres à l'heure. « La forme est là », pense-t-il.

Il entre dans Mesnil-Racoin, prend à droite sur la route d'étampes, puis à gauche. Il escalade aisément le petit raidillon de cent mètres. Au loin, il aperçoit un coureur, il accélère un peu plus, afin de pouvoir le rattraper avant la descente qui est assez dangereuse. Encore cinquante mètres et c'est bon. Il reconnaît un coureur de Corbeil-Essonnes. C'est le coureur qui était dans l'échappée de Combs-la-Ville. Henri se porte à sa hauteur et il le salue.

— Salut, alors tu as fini combien dimanche ? il lui demande sans préambule.

— Quatrième, mon travail consistait surtout d'emmener Marciaux à l'arrivée, j'ai lancé le sprint de très loin, car Pachot de Massy en voulait et forçait l'allure et mon collègue a gagné, mais de justesse quand même.

— Pas mal, je t'ai vu partir, mais je ne pouvais rien faire. Et puis il y a eu cette chute.

— Ah, tu étais dans la chute, ce coureur qui est mort, était connu pour sa dépendance. Et ce qui lui est arrivé ne m'étonne pas. Piréot était gourmand, il voulait à tout prix devenir pro et avec ce qu'il prenait… Il devrait y arriver.

La conversation s'arrête là car la fameuse descente arrive sous les roues des deux coureurs. Instinctivement, Henri passe devant son collègue, voulant maîtriser sa trajectoire, pour éviter une éventuelle chute. Il y a deux ans, dans la course de Mesnil-Racoin, il avait chuté dans cette descente, ils étaient une bonne vingtaine à atterrir dans les arbres. Henri lui, avait réussi à s'accrocher à une branche, ce qui l'avait empêché de se retrouver deux cents mètres en contrebas. En bas de la descente, ils tournent à gauche et Henri relance la discussion, ce qu'il vient de lui dire l'interroge.

— Que veux-tu dire ? « Il prenait » ? Tu veux dire qu'il se shootait ?

— Oui, on est beaucoup à penser qu'il prenait de l'EPO. Il était à la recherche d'un grand club pour faire de grandes courses et de se faire connaître.

— Tu connais Jérôme Piréot de l'US Créteil ?

— Ah ! celui-là, il ne vaut pas mieux. Lui, il trafique. Produits dopants, EPO, etc.… Il a proposé ses produits à Marciaux, qui a refusé. Ne voulant pas se faire remarquer par ses questions trop pertinentes, Henri se met à parler d'autre chose.

— Tu t'es inscrit à Ablon dimanche ?

— Oui, mais on y va pour l'entraînement, pas pour la gagner. Notre enjeu, c'est la ronde Bondoufloise, c'est une belle course de cent trente kilomètres. Avec les belles côtes de Maisse, Milly-la-Forêt et Vayres sur Essonne. On va se bagarrer pour la gagner.

Le compteur affiche cent kilomètres, il reste encore dix kilomètres à parcourir. Le coureur de Corbeil a changé de direction, voulant faire ses cent cinquante bornes. Henri se dit que ce coureur est un grand bavard, annoncer comme ça que les cyclistes incriminés se dopent, c'est risqué. Tout en faisant ses derniers hectomètres, Henri se dit que l'enquête allait être difficile. Une affaire Festina bis dans notre département, cela va être un tsunami dans le monde cycliste essonnien. Attention aux médias qui vont se faire les gorges chaudes de cette affaire. Henri arrive chez lui, il se sent en pleine forme, son compteur affiche cent cinq kilomètres en trois heures et quinze minutes. « Pas mal se dit-il et en plus ma montre cardiofréquencemètre n'a pratiquement pas sonné, la forme est là. » Après avoir noté ces informations dans son fichier « Entraînements cyclistes », Henri prend une bonne douche et avale quelques barres de céréales puis il se rend tranquillement à son bureau. Ses adjoints l'attendent impatiemment, ils ont travaillé toute l'après-midi sur la préparation des fiches. François a reçu les documents du président de club. Henri leur demande de le rejoindre dans son bureau. Il démarre son ordinateur puis il ouvre sa messagerie. Le médecin légiste a posté son rapport, mais rien de la scientifique. Clara prend position comme d'habitude auprès du tableau et attend que son chef lui dicte les informations. Henri lit le rapport silencieusement puis après un temps de réflexion, il le relit à voix haute.

— « Autopsie de Jérôme Piréot âgé de vingt ans. Mort par étouffement, nous avons prélevé dans ses poumons des fibres textiles provenant d'un oreiller ou d'un coussin de couleur blanche. Nous avons trouvé une forte dose de cocaïne dans ses analyses sanguines ainsi que des traces d'Érythropoïétine. Son taux d'hématocrite est à soixante pour cent ».

« Conclusion : Mort par overdose et étouffement avec un objet en fibre textile. Coureur dopé. Il serait mort, mardi à deux heures du matin. » Un signal sonore de l'ordi annonce qu'un nouveau message vient d'arriver. Henri l'ouvre, c'est le rapport de la scientifique. Il le lit à voix haute.

— « Analyse scientifique au domicile de Marcel Campion à Limeil-Brévannes. L'appartement a été nettoyé par du détergent de type chlore, l'aspirateur a été passé partout mais impossible de trouver le sac de poussière. Les objets ménagers ont été nettoyés avec une lingette. Nous avons trouvé trois sortes d'empreintes, celles de Campion, celle d'un coureur au nom de Jérôme Piréot et d'une autre personne inconnue au fichier. Sur l'oreiller, que nous a conseillé d'analyser le médecin légiste, nous avons trouvé les empreintes de cette personne inconnue et les fibres correspondraient à ceux trouvés dans les poumons du défunt. Le produit que nous avons découvert dans la salle de bain serait de l'Érythropoïétine. C'est une molécule de synthèse du Type NESP. C'est une EPO de troisième génération qui s'appelle le CERA. Rappelez-vous les cas de Piépoli, Schumacher et de Beltran au tour de France 2008, c'est le même produit qui se trouvait sur le carrelage du défunt. »

— Bien, chers collègues, c'est une grosse affaire qui nous tombe sur les bras. Rappelez-vous l'affaire Festina avec Richard Virenque, en pleurs en direct à la télévision. Le tapage médiatique que cela a provoqué. Eh bien, nous sommes en plein dedans, d'ici quelque temps, je vois très bien les journaux annonçant une affaire Festina essonnienne. Donc pour l'instant, rien ne doit sortir de nos murs. Évitons le contact avec la presse car cela va faire du bruit.

— Je ne connais pas le milieu cycliste, mais le dopage coûte énormément cher, et les coureurs de votre niveau n'ont pas les moyens de s'acheter de l'EPO. Il y a autre chose derrière tout cela, demande François.

— Oui, c'est vrai, vous avez raison capitaine. Derrière les deux coureurs morts, il doit y avoir d'autres hommes et il faut les trouver. Il faut éplucher la liste des engagés de la course de Combs-la-Ville. Rechercher ceux qui ont retiré cette botte de paille. Clara sur votre ordi, je vous ai envoyé le compte rendu des analyses de la scientifique, cherchez à qui sont toutes les empreintes qu'ils ont récupérées.

— J'y vais de ce pas, commissaire.

— François faites-moi voir la liste d'engagement et le cahier d'émargement. Je vais vous donner des noms de coureurs et vous me ferez une enquête sur eux. Leur niveau sportif, les finances, leurs amis, etc.… La totale quoi. Vous êtes prêt. Vous avez fait des recherches sur l'ordi et le portable ?

— Non, je n'ai pas encore eu le temps.

— Dès que vous avez un moment, vous le faites.

Henri prend la feuille d'émargement, dans la case signature, trois coureurs n'ont pas signé, donc ils n'ont pas participé à la course. Ensuite, il prend la liste des engagés, il raye les trois noms et vérifie un par un, le nom des coureurs ayant participé à la course.

— Alors, 10, 40, 62, 63, 79, 108, 112, 123, 131, 132. Voilà François, avec ces numéros des dossards, vous aller trouver les noms des coureurs, allez, à vous le reste maintenant.

— Bien commissaire, je m'en occupe tout de suite.

Henri enfin seul, étudie le tableau fil conducteur, puis il relit tous les rapports d'analyse de la scientifique et du médecin légiste. Pour l'instant, rien ne lui saute aux yeux. Il va pour fermer sa messagerie quand une idée lui vint à la tête. Il reprend le rapport de la scientifique concernant la chute sur le muret. D'après leurs calculs, la tête aurait dû taper à un mètre cinquante du sol, dans une chute normale, mais là, le choc se trouve à cinquante centimètres du sol, à l'endroit où est collée la touffe de cheveux, ce qui veut dire que le coureur a été poussé avec précision à l'endroit prévu par l'assassin. Henri regarde sa montre, dix-huit heures quinze, il se lève et range son bureau. Puis il se dirige vers celui de ses adjoints. Il ouvre la porte et il les voit les yeux fixés sur leur écran. « Cela travaille dur », se dit-il. Henri les interrompt dans leur fastidieux travail.

— Clara, demain vous allez me prendre des photos de la scène de crime. Pour l'instant, rangez vos affaires, on fera un briefing demain à dix heures. Allez, bonsoir.

— Bonsoir commissaire, répondirent en chœur les deux capitaines.

Henri prend le chemin de l'autoroute, puis à la sortie de Bondoufle, il se dirige vers le Golf de Val grand. Il a une faim de loup, car à part quelques barres énergétiques, avant et après son entraînement, c'est tout ce qu'il a mangé. Il entre dans le parking et se gare près d'une Lamborghini de couleur jaune. Le restaurant, à la nuit tombée, est éclairé de mille feux. Henri s'accoude au bar et il commande une coupe de champagne.

Tout en dégustant son verre, il jette un coup d'œil autour de lui. Beaucoup de golfeurs en tenue dégustent leur verre de bière bien brune, d'autres boivent ou des whiskies ou du champagne. Tout ce beau monde discute de leurs prouesses sportives. Son regard s'attarde sur une table, il remarque une belle dame qui semble étrangement s'ennuyer. Leurs regards s'entrechoquent, c'est comme un moment foudroyant. Une décharge électrique qui ressemble à un coup de foudre. Un regard de tendresse, un regard amoureux. Une voix le réveille de sa léthargie.

— Bonsoir, commissaire, ça va bien ?

— Euh, oui Vincent, excuse-moi, j'étais dans mes pensées.

Henri jette un autre regard vers la table, la femme de type latine continue à le regarder. Henri rougit légèrement. Depuis deux ans qu'il a perdu sa femme, il a fermé son cœur à toute la gente féminine. Et puis là, comme un miracle, voilà qu'il s'ouvre. Son cœur redevient sentimental. Cette femme ressemble à son fantôme, celle qui depuis une année le poursuit, dont il était devenu amoureux. Il se retourne vers Vincent qui avait remarqué son émoi. Le serveur était grand, mince et svelte, il porte une paire de lunettes aux fines montures.

— Alors, Vincent que mange-t-on ce soir ?

— Je ne sais pas ce que vous avez fait à cette femme, mais elle ne vous quitte pas des yeux, lui répond coquinement Vincent.

— Oui, c'est vrai Vincent, j'ai fait une touche. Tu la connais ?

— Oui, elle vient souvent ici, souvent seule. Là, elle est avec des amis golfeurs. C'est la première fois que je les vois ensemble.

— Oui et elle semble s'ennuyer. Bon, je vais aller manger maintenant. Henri se rend au restaurant, en passant auprès de la table, il lui fait un discret salut amical. Elle lui lance son plus beau sourire, du coup son cœur bat à l'allure d'un sprinteur. Henri boit un deuxième verre de champagne et il dîne tranquillement. Après son délicieux repas, il se dirige vers le salon et il commande à Vincent un cognac. Ce soir, il peut boire un peu d'alcool, car à partir de demain aucune goutte, jusqu'à la course. Henri tourne la belle couleur ambrée dans son verre, les mains bien serrées sur le pourtour arrondi de ce breuvage, afin de lui donner de la chaleur humaine à ce délicieux nectar aphrodisiaque. Monique, la responsable des lieux, ses cheveux blonds tirés en arrière formant une petite queue-de-cheval, vient lui dire bonjour. Elle a toujours son petit visage radieux avec un large sourire. Et de sa voix fluette et douce, elle lui dit quelques mots.

— Bonsoir commissaire, alors on est de sortie. Il a fait beau aujourd'hui, un temps à faire du Golf. Quand est-ce que vous vous y mettez ?

— Oh là, pas en ce moment. Je suis sur une grosse enquête et puis vous savez que mon sport préféré est le vélo.

— Ah oui, c'est vrai, j'oubliais. Allez, bonne soirée, dit-elle de sa voix douce.

Monique étant partie, la gente dame d'un mouvement gracieux s'assoit en face de lui. Henri, la voyant d'un peu plus près, la trouve encore plus belle. Elle a les traits raffinés d'une belle Latine, de longs cheveux noirs qui lui tombent sur les reins. Elle porte des vêtements de grands couturiers. Ses yeux noirs, en forme d'amande, le dévisagent. Les mots n'arrivent pas à sortir de la bouche d'Henri, il est bloqué par l'émotion. C'est elle qui engage la discussion.

— Bonsoir, cela ne vous dérange pas que je m'assoie auprès de vous. À l'autre table, je m'ennuie.

— Non, pas de problème, je vous offre un verre ?

— Oui, je prends aussi un cognac, cela me réchauffera le corps.

L'allusion était éloquente, mais Henri, imperturbable, fait signe à Vincent de servir la même chose. Le serveur lui répond par un clin d'œil. Ils restent ainsi pendant une heure, à discuter de tout et de rien. Henri n'est pas encore prêt à une ébauche amoureuse, même s'il sent qu'il se passe quelque chose entre eux. Il ne parle pas de sa vie, ce que fait aussi la belle dame. Leurs discussions ne sont, pour l'instant que superficielles. À minuit, ils décident de se séparer. Henri fixe une prochaine rencontre à la semaine suivante, prétextant une ébauche de travail qui l'empêche d'être libre en ce moment. La belle dame a le regard d'une femme déçue. Après une nuit agréable, le commissaire se lève tout guilleret. Il va à sa fenêtre, la nuit est encore là, quelques nuages noirs flottent dans le ciel au gré du vent. Cela sent fortement la pluie. « Qu'il pleuve aujourd'hui, ce n'est pas grave, mais pas demain », se dit-il. En effet le jeudi, c'est sa grande sortie cycliste. Avec les jeunes du club, ils partent vers Dourdan et Port-Royal. Faire toutes les côtes du secteur, les dix-sept tournants, St Cyr-sous-Dourdan, enfin les classiques du tour de France. Cette sortie de cent cinquante kilomètres est importante, cela permet d'avoir du fond et de tenir la distance dans les courses et aussi de travailler le fond. Henri, après une douche et un bon petit déjeuner, se rend à son bureau. Il arrive pile-poil à huit heures. Le respect des horaires est une habitude pour lui. Les deux capitaines sont en plein boom, Henri les laisse faire. À huit heures trente, Clara arrive avec le délicieux café et François avec les croissants sentant bon le pain chaud.

— Une pause-café nous fera du bien commissaire, depuis sept heures et demie que nous sommes là, nous n'avons pas chômé. Henri, après avoir bu quelques gorgées de ce délicieux breuvage, commence à poser des questions.

— Vous avancez dans vos enquêtes ?

— Oui, on avance, au briefing vous aurez tout.

— Et moi, répondit François, je pense que je pourrais vous dire ce que l'ordi a dans son ventre.

— Parfait, répond le commissaire. Finissons notre café et au boulot.

— Vous êtes en forme commissaire et joyeux, dit Clara en se levant, un petit coup de reins et sa robe virevolte montrant ainsi des jambes bien fuselées. En quittant le bureau, elle esquisse un petit mouvement de sa tête, ce qui fait voler ses cheveux. Son joli sourire enjolive son charmant petit visage eurasien. Henri étudie les rapports de la scientifique et du médecin légiste, il regarde les photos des coureurs et de la scène de crime. Puis devant le tableau, il se met en condition de course, prenant la place du coureur mort. Il se voit roulant côte à côte, la discussion s'envenime. Mais de quoi parlent-ils ?

L'allure du peloton est rapide, à cent mètres, le muret se présente, il n'est pas protégé. La présence du coureur auprès de lui se fait de plus en plus forte, Henri se sent poussé vers le fossé, il ne peut pas éviter la chute. Que se passe-t-il dans la tête des deux cyclistes à cet instant ? Se demande Henri. Cinquante puis vingt mètres, l'instant fatidique approche. Dix mètres, le coureur des US Créteil monte au niveau de Jérôme Piréot. Un mot plus fort que d'autres et d'un seul coup, deux épaules se cognent fortement.

Un grand cri, des coups de frein stridents retentissent dans l'air, des bruits de corps qui tombent sur le bitume, puis les vélos qui volent à droite et à gauche. C'est la chute collective, infernale, mortelle. Henri se réveille d'un seul coup de sa course virtuelle, il revoit en boucle le coup d'épaule du coureur Marcel Campion contre celle de Jérôme Piréot. Il voit le coureur qui tombe, tête en avant contre le mur. Le choc est violent, le sang s'étale comme une toile d'araignée sur le mur, le coureur n'a pas eu un cri, la mort est instantanée. Le destin d'une chute, non ! C'est un crime orchestré. Mais par qui ? Ces deux coureurs ne sont que l'arbre qui cache la forêt. Le regard bien éveillé, il regarde le tableau. Il en ressort deux choses de ce fil conducteur : Un, trouver celui qui a retiré cette protection du muret. Deux, chercher ceux qui organisent ce réseau de dopage. Et pour cela Henri à sa petite idée. Le capitaine François Pinéla est dans le service depuis un an, avec sa collègue Clara Analila, il a, à son contact, beaucoup appris. Elle est très organisée, très ordonnée dans son travail. Et de plus, elle a un sixième sens très évolué. François aime bien travailler avec elle, pas un mot de déplacer de sa part, un peu espiègle par moments, mais seulement ce qu'il faut. François a fini ses recherches sur les dix coureurs que lui a données le commissaire. Il termine les fiches détaillées de ces hommes, deux sortent du lot, leurs trains de vie ne sont pas normaux. Il verra cela avec le commissaire tout à l'heure.

Il prend la tour informatique du coureur, un regard circulaire sur l'arrière de la machine puis de son ordinateur, il arrive par des gestes bien précis, à les brancher en parallèle. Il appuie sur le bouton, le processus habituel de Windows se met en route. Puis le bureau s'affiche, les petits fichiers jaunes remplissent la moitié de l'écran, François clique sur celui marqué « Entraînements ». Pas de mot de passe, son ordinateur n'est pas verrouillé. Les feuilles sont classées par année, il ouvre celui de 2009, il découvre deux tableaux, un sur ses entraînements et l'autre sur les courses. En épluchant bien les courses, il voit qu'il a gagné dix épreuves dans l'année, qu'il s'est placé vingt fois deuxième. Il va ensuite sur les entraînements. Plus de vingt mille kilomètres. « C'est énorme », se dit François. Il retourne sur le bureau, la plupart des fichiers qu'il ouvre sont des films. Il va sur poste de travail et il trouve un deuxième disque dur. Il clique sur un fichier nommé « Comptabilité », mais impossible de l'ouvrir. Il faut un mot de passe. Il réfléchit, cherchant dans l'environnement du coureur, un mot qui lui corresponde. Cyclisme. Refusé. Vélo. Refusé. « Mais quel est ce mot » ? se dit-il. Il met des mots qui tournent autour du cyclisme, mais rien à faire. D'un seul coup, il eut une idée.

« EPO ». Et là, Euréka, le fichier s'ouvre.

« Quelle idée de mettre ce mot de passe, il est pourri jusqu'à la moelle ce coureur », pense le capitaine. François fait un bond, il voit des sommes faramineuses s'afficher. Il y a des chiffres en paiement et en dépense avec des noms étranges. La balance est en positif de cinq cent mille euros. Et il vit dans un minable appartement. C'est quand même bizarre. Putain ! dit-il, c'est incroyable. Le mot lui a échappé, il ne s'en rend compte qu'après, en voyant le regard étonné de sa collègue. Il en rougit de honte et il s'en excuse. Clara qui finit de lire les messages du portable du coureur, a levé les yeux vers son collègue, puis imperturbable elle continue son travail. Au fur et à mesure de ses lectures, elle met des annotations sur une fiche. Puis elle pose le téléphone sur son bureau et regarde

François. Elle le trouve soudain bizarre, comme s'il avait découvert quelque chose de grave dans l'ordi.

— Je viens d'ouvrir sa comptabilité et tu sais, il a cinq cent mille euros sur son compte. Tu t'en rends compte, avec cette somme, je pourrais m'acheter une belle maison et une voiture.

— Mais tu peux rêver, cela n'est pas pour toi, répond Clara en rigolant.

François ne répond pas, encore sur le coup de cette faramineuse somme. Lui simple fonctionnaire au train de vie cléricale est éberlué de voir ces sommes aux chiffres colossaux d'un jeune de vingt ans.

— Alors, tu es prêt ? lui demande-t-elle ? Il est l'heure du briefing François à quoi, penses-tu ?

— À cet argent, bon je suis prêt, allons-y, dit-il un peu perturbé !

5

Henri écrit avec application son rapport pour le commandant Pulvar, à l'arrivée de ses adjoints, il délaisse son travail pour les écouter. Clara comme d'habitude se met auprès du tableau et elle commence à parler de ses recherches.

— Bien, au sujet des empreintes inconnues dans l'appartement, j'ai eu du mal à trouver à qui elles appartiennent, car il n'y a rien dans les fichiers de la FAED. C'est en cherchant à la Brigade de Recherche de la gendarmerie que je suis tombée sur notre homme. Il est fiché, suite à un contrôle de routine, il était en possession de plusieurs kilos de cocaïne. Suite à son procès, il a écopé de six mois de prison et il a été radié de l'ordre des médecins. Il s'appelle Martin Scorsère, né en 1947 à Milan. Il a été souvent vu dans le monde de l'équitation, il y aurait des doutes sur son travail dans les hippodromes. Dopage des chevaux, trafic de drogues, on ne sait pas trop.

— Eh bien voilà, on avance, répond Henri. Il était présent au domicile du coureur le jour de sa mort. Et il y aurait bien un trafic de dopage dans le peloton amateur. Et moi qui cours avec ces coureurs, je n'ai jamais remarqué qu'il se passait quelque chose au sein du peloton.

Clara reprit la parole et dit.

— Concernant le portable, je n'ai rien trouvé d'intéressant. À part des coups de téléphone à des amis et son président de club. Mais en cherchant bien, j'ai quand même deux numéros inconnus dont je n'ai pas eu le temps de trouver à qui ils sont.

— Bien Clara, continuez à chercher et trouver à qui appartiennent ces numéros. Bon travail. Et vous François ?

— J'ai fini de faire les recherches sur les dix coureurs que vous m'avez données. Deux ont un train de vie supérieur à la moyenne. Belles maisons, belles voitures de luxe. Bref, des coureurs millionnaires au sein du peloton. Concernant l'ordinateur de Marcel Campion, j'ai fait une grosse découverte. D'abord, en regardant le tableau de ses plannings d'entraînement et bien c'est un boulimique, il avale des kilomètres comme on avale des couleuvres. Dix fois premier et vingt fois deuxième pour 2009, champion de l'Essonne junior. Par contre, au niveau argent, il est riche. Et cela ne colle pas avec son appartement et son train de vie. Il a une vie minable, une vieille Peugeot pourrie, pas de petites amies. Enfin rien, c'est un solitaire. Je vous ferai une impression des fichiers que j'ai trouvés dans son ordi. Là aussi, cela brasse des sommes énormes. Quand même cinq cent mille euros sur son compte, répète François.

— Bien, continuez vos recherches sur ces coureurs et toi Clara sur ces numéros de téléphone inconnus. Briefing demain à onze heures, je vous expliquerai comment on va continuer cette enquête. Demain après-midi, vous avez quartier libre, moi j'ai un gros entraînement à faire. Cent cinquante kilomètres dans la vallée de Chevreuse et avec les jeunes du club en plus.

— Oh là, commissaire, c'est vallonné là-bas, vous allez vous amuser, commente François.

— Eh oui, allez au boulot maintenant.

Henri se retrouve seul et termine son rapport. Il regarde sa montre, onze heures trente. « L'heure d'aller manger », se dit-il. Il met son imper et va à pied à son restaurant habituel. Le ciel est couvert et un petit crachin tombe collant aux vêtements et au visage. Henri remonte son col et marche à grande enjambée, la faim commence à le tenailler. En ce moment, c'est cure de vitamines et de glucides, il fallait qu'il soit en forme pour son entraînement de demain et sa course à Ablon. Il commande une escalope à la crème accompagnée de pâtes, puis il prend comme dessert un riz au lait. Il mange tranquillement la tête dans son enquête.

Il regarde autour de lui, cherchant quelqu'un. Pour la première fois, sa dulcinée, sa Latine, son amour de fantôme n'est pas là. Depuis plus d'un an, qu'elle est omniprésente, toujours là, à le regarder. Et aujourd'hui personne. Cette absence le perturbe. Pourquoi n'est-elle pas là ? Vers les deux heures, il se rend à son bureau. Il téléphone à quelques amis cyclistes puis regarde le tableau. Clara l'a mis à jour régulièrement. Elle maîtrise bien son affaire maintenant, l'écriture est claire et lisible.

Il prend son carnet de notes et il écrit quelques informations. Puis mentalement, il échafaude son plan, il faut qu'il soit bien précis, bien clair dans son action. La moindre erreur et c'est une probable chute au sein du peloton avec toutes les conséquences que cela entraîne. Dans sa tête, il travaille sur son plan, il faut se mettre à la place d'un coureur qui est à la recherche de produits dopants. Déjà, Henri pense qu'il a bien lancé des amorces auprès de coureurs connus pour leurs facilités de pédalage. L'après-midi passe ainsi, rapidement. À dix-huit heures, il rentre chez lui. Après un repas, pizza télé, il va se coucher. Ses rêves sont dans le charme, deux visages s'interfèrent, sa Latine de fantôme et la jolie dame du Golf, ces deux visages par moments n'en font qu'un. Puis le sommeil soudain le terrasse et il s'endort comme une masse. Le lendemain, il se réveille serein, heureux. Il va à sa fenêtre, dehors il fait encore nuit. C'est vrai qu'à l'approche de la fin Mars, à six heures trente, il ne faut pas s'attendre à voir un rayon de soleil. Mais le ciel était libre de nuages, simplement argenté par une nuée d'étoiles et une demi-lune qui envoie sa clarté sur les toits. « Signe de beau temps », pense Henri. Il prend une douche brûlante et s'habille d'une tenue sportive. Il déguste son grand bol de café au lait, accompagné de belles tartines de pain grillé enduit de beurre salé.

La matinée passe vite, le ciel est d'un bleu limpide, pas un nuage. C'est l'arrivée du printemps avec ses alouettes qui volent haut à la recherche d'insectes. Il arrive rapidement à son bureau et il travaille à parfaire son plan, organisant le travail de chacun. L'heure du briefing arrive rapidement et ses deux adjoints entrent dans le bureau tout joyeux. Clara a emporté son délicieux café, Henri ne prend qu'une petite tasse. Car, comme tout le monde le sait, ce breuvage est un diurétique et cela fait uriner. Il ne veut pas que pendant son entraînement, l'envie lui prenne d'avoir envie de pisser.

— Alors, où en est-on ?

Clara la première prend la parole.

— Les deux numéros inconnus que j'ai trouvés dans le portable du coureur, sont de Martin Scorsère, notre fameux ex-docteur et de Julien Rossignolet. J'ai réussi à avoir les communications de leur opérateur. Alors, pour le docteur, il aurait appelé, pour lui donner un rendez-vous pour mardi à neuf heures.

— C'est le jour où il a été tué, important cet appel, marmonne Henri.

— Oui, et le deuxième appel, c'est de Julien Rossignolet. Ils ont discuté un moment ensemble, puis ils ont parlé des courses à venir et ils se sont donné rendez-vous pour un entraînement le mercredi suivant.

François prend la parole.

— Ce Julien Rossignolet est l'un des coureurs qui a un train de vie friquet, c'est le numéro108 de la liste des engagés de Combs, il fait partie du VC Massy-Palaiseau. Le deuxième coureur plein de fric aussi s'appelle Gérard Trouboul de l'USRO (Ris-Orangis), alors lui il a une Porsche. Ces deux coureurs ne sont pas fichés. Ce sont des gagneurs, ils ont plusieurs courses à leur actif. J'ai appelé quelques présidents de club et je leur ai demandé ce qu'ils pensent d'eux. La réponse que j'ai eue c'est que ce sont des avions comme on dit dans le jargon des cyclistes, des bêtes de la vitesse. Concernant les problèmes de dopage, là, pas de réponse.

— Bien, beau travail les gars, oh ! pardon, messieurs – dames. Nous avons face à nous, un réseau de dopage caractérisé, quatre coureurs incriminés, dont deux sont morts et un médecin véreux. Concernant les sommes astronomiques que manipulent ces deux coureurs, cela ne m'étonne pas et je pense qu'ils doivent être plus nombreux que cela. Et dangereux en plus. Déjà deux morts et cela risque de continuer.

— Oui et faites attention commissaire, pour l'instant ils ne savent pas que vous êtes flic. Mais s'ils le découvrent, je ne donne pas cher de votre peau, dit François avec son accent italien.

Justement, l'enquête va prendre un nouvel essor, nous allons travailler d'une façon différente, répond Henri d'une voix autoritaire. C'est deux adjoints le regardent étonné. Que veut dire leur chef ? Un nouvel essor ? Qu'est-ce que cela veut dire ? Henri coupe court à leur élucubration et leur explique comment l'enquête va évoluer.

— Bon, écoutez-moi bien, à partir de cette après-midi, je vais me mettre dans la peau d'un coureur qui veut gagner des courses et pour cela, je suis à la recherche d'un produit dopant. Je vais sournoisement poser des questions à des coureurs costauds, des coureurs qui ont l'habitude de gagner. Et on verra bien. À l'entraînement de cette après-midi, je ne risque rien. Par contre, à la course d'Ablon, si je suis un peu trop curieux pour certains, ils sont capables de me jeter dans le fossé. Donc dimanche, je vais vous demander d'être sur le terrain, rendez-vous à huit heures à la course, Marcelo sera aussi de la partie.

Clara et François regardent leur chef avec étonnement, ils vont devoir entrer dans le monde du cyclisme, alors qu'ils n'y connaissent rien, ils vont devoir découvrir un Nouveau Monde. Henri, voyant ses adjoints désappointés, tient à les rassurer.

— Ne vous inquiétez pas, tout va bien se passer, vous verrez. Pour Marcelo, j'ai vu cela avec son chef, il n'y a pas de problème. Prenez la photo de ce fameux docteur véreux, des fois qu'il serait là. Et au cas où il serait là, vous le surveillez, regardez avec quel coureur il parle. Faites les touristes qui aiment le vélo, puis écoutez, regardez. Marchez le long du circuit. À chaque passage, il y en a dix, vous regardez tout ce qui se passe dans mon dos. Le meilleur endroit, c'est d'être dans la montée du parc des Sœurs. Vous notez tout et on fait le point après la course.

— Mais comment faire pour vous trouver, sans vous mouiller ? demande François.

— Vous me rejoignez à ma voiture et toujours comme des touristes, vous regardez mon vélo, vous faites semblant de me poser des questions.

Henri arrête là son briefing, ses adjoints rejoignent leur bureau. Ils sont très inquiets, leur chef va faire la chèvre dans le peloton. Il va attirer cette mafia cycliste sur son dos, au risque de prendre des coups. Dimanche, ils vont devoir se surpasser dans ce monde cycliste qu'ils ne connaissent pas, essayer de le protéger, mais comment faire parmi tous ces vélos, ces cent cinquante coursiers qui y seront présents, avec peut-être un ennemi prêt à fondre sur sa proie, et là, sur le commissaire Navarette ? Henri, à onze heures trente, se rend à son restaurant traditionnel. Il mange un jambon spaghettis et du riz au lait. Il ne faut pas qu'il se charge de trop, des glucides et des protéines suffisent pour supporter l'entraînement. À quatorze heures, il est au rendez-vous, au centre commercial des Trois Parts à Bondoufle. Deux coureurs sont déjà là, ce sont des juniors de dix-sept ans. Des jeunes en pleine force de l'âge. Puis d'autres coursiers arrivent, dont le président du club. Après quelques échanges de mots et les salutations d'usage, nous enfourchons notre petite reine pour un périple de cent cinquante kilomètres. Le président honore son rang en devenant le capitaine de route. Il nous emmène vers Arpajon, puis il prend la direction Étampes, un peu avant l'entrée de la ville, on tourne et on se dirige vers Etréchy puis Dourdan. Les côtes sont avalées en un rien de temps, les jeunes font le sprint au sommet de chaque élévation.

Henri surveille ses arrières, il n'est pas tranquille. Dans les grandes lignes droites de Dourdan, certaines voitures les doublent en les frôlant. « Les automobilistes sont des assassins en puissance, ils ne respectent plus rien maintenant », murmure Henri. Au loin, il voit une grosse cylindrée qui s'approche à vive allure. Il pense au coureur frisquet qui a ce type de voiture. Il la surveille, au cas où il serait démasqué, il serait capable de lui rentrer dedans. La voiture les passe, cela fait un grand courant d'air, une casquette s'envole, ce qui fait rire les jeunes. La voiture est passée, je suis plus tranquille maintenant. « Que c'est pénible ces grandes lignes droites, on n'en voit pas la fin », pense Henri. À choisir, il préférait monter les côtes que de faire des bordures ou des éventails dans ces longues lignes droites. Le plaisir d'escalader, de monter les côtes à vive allure, c'était son dada. Parfois même, dans des côtes très difficiles, il se mettait à rire, tellement il se trouvait bien. Dans son dos, il entend la grosse cylindrée qui revient, instinctivement, il se met du côté droit de la route, protégé par les autres cyclistes. « Ils m'ont repéré », murmure Henri. « Ce n'est pas possible ». Le bruit se fait plus insistant, le conducteur s'amusant avec sa pédale, par moments le moteur lance comme des coups de pétard. Henri se retourne pour essayer de voir le chauffeur, mais impossible les vitres sont tintées. Il regarde le compteur sur son cintre, il indique quarante kilomètres/heure. Le bruit est toujours là, des vrombissements épisodiques rythmant nos pédalages. « Mais que fait-il ? Il joue à quoi ce mec ? » crie soudain Henri. Quelques coureurs commencent aussi à s'inquiéter, jetant par moments des regards vers le bolide.

D'un seul coup, la voiture dans un bruit de moteur surmultiplié nous dépasse en nous frôlant. C'est l'affolement dans le peloton, un des coureurs est touché par le rétroviseur, mais sans bobo. Tout le monde crie sur cet énergumène. Le bolide est très loin, ce n'est plus qu'un point à l'horizon. Henri a le temps de retenir son immatriculation. Une demi-heure après, nous arrivons dans la vallée de Chevreuse, les dix-sept tournants sont montés à vive allure. Puis nous tournons à droite, direction Port-Royal et Châteaufort. Le retour vers Bondoufle est plus calme, les muscles commencent à lancer des piques de douleur, le pédalage devient plus lourd. Nous roulons quand même à trente-cinq kilomètres/heure. Cela fait plus de cinq heures que nous pédalons sous un soleil radieux. « Ça, c'est un bon entraînement », pense Henri. Il arrive chez lui et il se fait une omette aux gruyères, qu'il mange avec des chips. Il boit sa bouteille de St Yorre, puis va prendre son bain. Après un long entraînement, il aime bien s'allonger dans sa baignoire, rempli d'eau chaude, il y met des grains de sel roses. Cela lui fait du bien, cette eau chaude et parfumée. Une demi-heure après avoir fait sa trempette, il s'allonge sur son lit et regarde la télévision. Il est vingt heures, il regarde les informations, puis jouant avec la télécommande, il trouve un polar qui l'intéresse. Mais d'un seul coup en pleine action du film, ses yeux s'alourdissent et il s'endort comme une masse.

Ses rêves sont chargés pour ne pas dire cauchemardeux. Il voit cette voiture le pourchasser et comme dans le film « Duel », il sent le moteur du bolide dans son dos. Son cauchemar s'intensifie lorsque la Porsche se met à le doubler provoquant un tourbillon ravageur qui le fait tomber. Henri se réveille d'un seul coup, la chambre est dans le noir et il se trouve soudainement allongé au sol. Le temps qu'il réagisse, il comprend qu'il a fait un mauvais rêve. Il se lève, allume sa lampe de chevet et se rend à la cuisine. Il a la gorge sèche et il est trempé de sueur. Il sent la pression de son enquête monter, un milieu qu'il croyait bien connaître, lui devenait d'un seul coup inconnu. Un pan du milieu cycliste lui était étranger. Le dopage, ce fléau, il le voyait au niveau professionnel, mais pas chez les amateurs. Et le dopage avec ces deux meurtres l'inquiète. De quoi sont-ils capables pour protéger leur réseau, leur trafic ? Combien de morts va-t-il y avoir encore ? Henri qui n'est pas un homme craintif devient quand même inquiet. Pourtant, il en a vu des atrocités et combien de fois la mort ne l'a pas frôlée. Chose que n'a pas pu éviter son ancien adjoint, abattu froidement, devant lui, par un tueur. Il ne faut pas qu'il tombe dans la psychose, dans le défaitisme ou la sinistrose, il faut qu'il se ressaisisse. Aller jusqu'au bout de son enquête, tenir bon pour son équipe. Il pense à ce bolide. Quel jeu jouait-il ? Était-il là pour lui faire peur ? Ce qui lui pose une question : comment savent-ils qu'il enquête sur les meurtres des deux coureurs ? Ou alors, il était là par hasard, il n'aime pas les cyclistes et il s'amuse avec eux. Mais quand même quelle coïncidence ! Une Porsche qui nous titille à l'entraînement et un coureur suspect ayant ce même style de véhicule. Bizarre, bizarre vous avez dit bizarre… Que c'est étrange !

Henri regarde sa montre, deux heures du matin. Il finit de boire son verre et va se recoucher. Le sommeil fut long à venir, le stress le tenaille. Il se réveille à six heures trente, la tête dans le cirage. Rapidement, il prend une douche, l'eau chaude lui fait du bien et le final avec une eau glacée le remet d'aplomb. Un grand bol de café au lait, du pain grillé tartiné de beurre salé et une cuillère de marmelade d'oranges posée dessus lui donnent des forces et le requinquent. Le moral ayant repris le dessus, il s'en va gaiement à son bureau.

6

Il y arrive tout guilleret, les traces de sa nuit agitée ont disparu. Il est en pleine forme, la fatigue de l'entraînement s'est envolée comme par enchantement. Il est un autre homme. Clara et François arrivent, les bras chargés de croissants et du délicieux café. Tout en dégustant ce délicieux breuvage, Henri leur raconte le problème de la Porsche à la sortie cycliste d'hier. Il tient à faire le point avec ses collègues, surtout avant la course de dimanche. Son intuition lui dit qu'il va se passer quelque chose. On est vendredi et depuis lundi, il ne s'est rien passé. À la suite de ces deux crimes crapuleux, rien. Cela n'était pas normal.

— Tenez, François, c'est l'immatriculation de cette Porsche, cherchez à qui elle appartient.

François s'en va faire la recherche demandée, Henri regarde le tableau et commente les grandes lignées de l'enquête. Clara, la mine radieuse l'écoute sereinement. Elle a mis une robe lui tombant au niveau des genoux, ses jambes fines et fuselées attirent les regards, sa jupe bien serrée moule étrangement ses petites fesses bien fermes. Henri, devant ce joli spectacle, a le vague à l'âme, ses pensées s'envolent vers cette belle Latine du Golf. Ses yeux noirs en amande, son corps fuselé dans une belle robe de chez Cacharel, lui vrillent l'estomac. Il a hâte de la revoir. Mais d'abord, son enquête, avec cette course qui se profile à l'horizon. Il sent que quelque chose va se passer.

François arrive, il a la réponse du propriétaire de la Porsche et il commente tranquillement.

— La voiture appartient à Gérard Trouboul. C'est le coureur que l'on a retenu comme suspect, au vu de son train de vie, commissaire.

— Je m'en doutais. Mais pourquoi s'est-il amusé avec nous à l'entraînement ? Je ne pense pas qu'il a découvert qui je suis. C'est encore trop tôt, non, je pense plutôt à un jeu. Cela doit l'amuser de voir des collègues cyclistes s'entraîner et il doit aimer les titiller.

Puis Henri continue sur sa lancée. Il explique dans une analyse longue et pointue que l'enquête s'oriente bien pour l'instant.

— Bon, les choses sont claires. Nous avons affaire à un réseau de dopage généralisé dans le peloton. Mais quelque chose a dû se passer pour qu'il passe à l'acte, en tuant ces deux coureurs. Mais quoi ?

Et à Henri de continuer sur sa lancée.

— Le coureur Marcel Campion se fait balancer par Jérôme Piréot, sur le muret non protégé. Pourquoi ? Le docteur véreux, assassine le coureur Piréot en l'étouffant avec son oreiller et faisant passer son crime pour un suicide. Pourquoi ? Ces deux morts sont-ils liés au réseau de dopage ? Deux autres coureurs sont suspects à cause de leur train de vie et leur facilité de gagner les courses. Pour l'instant, nous n'avons que des questions à nous mettre sous la dent.

Clara toujours auprès du tableau, l'actualisant au fur à mesure que le commissaire expose les faits, intervient.

— N'oublions pas les complices, dont nous n'avons aucune trace, commissaire.

— Oui, vous avez raison. Il y a au moins deux complices à trouver, celui qui a aidé le docteur à retirer la botte de paille. Et aussi au sein des coureurs, car pour emmener Campion à rouler au bord de la route, il devait être deux. Un qui se met devant ses roues et l'autre à sa gauche pour donner le coup d'épaule. Est-ce Rossignolet ? Trouboul ? Ou les deux ?

François, pas en reste, commence à comprendre où veut en venir le commissaire, il prend la parole.

— Ce qui veut dire que l'on doit continuer d'enquêter sur le docteur et ce fétu de paille et de trouver son complice. Et aussi sur les quatre coureurs que nous avons notés comme suspect, c'est-à-dire, Jean Armant de Bondoufle, Didier Aumont de Juvisy, Rossignolet de Massy-Palaiseau et Trouboul de Ris-Orangis.

— Vous avez bien compris la situation capitaine. Allez continuer vos recherches. Pendant ce temps-là, je vais intensifier mes appels sur les personnes du milieu cyclistes que je connais bien. Et n'oubliez pas dimanche. Je suis sûr qu'il va se passer quelque chose. Soyez prêt.

Les deux capitaines rejoignent leur bureau. Ils ne sont pas tranquilles, pas pour eux personnellement, mais pour le commissaire. Il risque gros dans cette course, le stress commence à peser sur leurs épaules.

— Qu'est-ce que tu en penses François, demande Clara. Je crois que le commissaire prend des risques énormes. Comment peut-on contrôler la course, en cas de problème ? Impossible. Qu'est-ce que tu en penses ?

— Hem ! Tu as raison, il faut que l'on prenne nos dispositions. Il faut mettre nos gilets pare-balles, emporter nos armes. Il faudra se mettre en position dans la côte comme l'a dit le commissaire. Voyons Marcelo pour lui expliquer la situation.

Henri a appelé ses amis, deux présidents de club et cinq coureurs qu'il connaît bien, il lui arrive parfois de rouler avec eux. Grâce à quelques informations, il a acquis avec certitude que les quatre coureurs suspects participent au réseau de dopage. Henri vaque à quelques occupations administratives, puis fait son habituel rapport au commandant Pulvar. Puis, il rentre chez lui car il a beaucoup de choses à faire avant la course de dimanche. Préparer son vélo, laver son linge. Comme il n'a pas de femme, il doit tout faire par lui-même. Et c'est là que l'on s'aperçoit que la solitude est pesante, que les tâches ménagères sont lourdes à faire seul.

Le lendemain, il fait une sortie de quatre-vingts kilomètres avec des séances d'intervalle training. Les petites côtes, il les a montées au sprint. La forme est là. Il arrive chez lui, pas fatigué du tout. Il note dans son fichier, toutes les informations concernant son entraînement, puis il se lance dans ses tâches ménagères. Il lave méticuleusement sa petite reine, exécute quelques petits réglages. Il prépare son sac, en y mettant sa tenue de course, son casque, une serviette-éponge et un gant de toilette, une bouteille d'eau de robinet et des barres céréales. Il vérifie que les quatre épingles à nourrice se trouvent bien dans la pochette. Puis il pose son sac auprès du vélo. Il est fin prêt pour la course, physiquement et matériellement.

Il est tellement axé sur sa course qu'il en oublie l'essentiel. Oublié les craintes d'attaques sur sa personne, il a dépassé le stade de la peur. Et c'est tant mieux, les blocages naturels de l'appréhension ne l'empêcheront pas de mener à bien son enquête. C'est comme la douleur à vélo, quand on a atteint son paroxysme, on ne sent plus la douleur. On devient aérien, léger et on se surpasse. La veille de la course, Henri fait comme une sorte de méditation, il vide son cerveau des contraintes de la vie, il pense à sa course. Trouver sa place dans le peloton, prendre les virages à la corde, tenir dans les bordures, que faire en cas d'échappée et surtout, bien monter cette fameuse côte, dans le parc des Sœurs. Bref, il vit sa course. Après un repas chargé de glucides, il va se coucher.

Cinq heures du matin. Il fait nuit, le ciel est bas chargé de gros nuages, quelques gouttes de pluie commencent à tomber. La journée s'annonce mal. Henri ouvre ses volets, regarde ce ciel maléfique. Maugréant contre ce temps cafardeux, il s'en va déjeuner. Café noir sans sucre, pain grillé tartiné de très peu de beurre salé, deux pots de riz au lait. Le petit déjeuner est pris trois heures avant l'heure de départ, cela est très important. Puis il prend une bonne douche, il met son cuissard et s'habille d'un jogging. Il met son Gianni Motta dans le coffre de la voiture, son sac de sport rempli, en n'oubliant pas de mettre son bidon d'Isostar. Henri regarde sa montre, six heures trente. L'heure de partir. Une demi-heure après, il arrive dans la ville qui se réveille dans le bruit des voitures qui se garent, des coureurs qui discutent. Des volets s'ouvrent, montrant des têtes encore endormies.

Le ciel est dégagé, quelques nuages gris planent au-dessus de la ville. Les rues encore un peu humides de la pluie de la nuit s'assèchent lentement. Il s'en va vers la salle des fêtes. Il regarde la liste des engagés affichés sur la porte, il voit le nom des coureurs connus, dont deux sont des suspects. Il cherche son numéro et retient en mémoire les numéros des suspects. Il aperçoit aussi le nom du policier de Créteil. Il se dirige vers la table d'émargement et signe son engagement et récupère son dossard. En sortant de la salle, au loin il aperçoit Clara et

François. Ils sont accompagnés par deux autres policiers qu'Henri reconnaît. Il s'agit de Marcelo avec son chef, le commissaire Lamour. Même lui est venu, c'est surprenant de sa part. Henri fait semblant de ne pas les voir et se dirige vers sa voiture. Il sort son vélo du coffre et vérifie qu'il n'a rien, il gonfle les pneus à sept bars. Puis il sort son maillot de club, fouille dans son sac et trouve les quatre épingles. Il prend son dossard, le numéro cent huit, puis le fixe sur sa poche droite avec les quatre épingles. Il met son maillot et en rajoute un autre pardessus. « Pas le moment d'attraper un coup de froid », marmonne Henri. Il met ses chaussures et ainsi prêt, il s'en va pour un échauffement important avant le départ. Il est très important de s'échauffer, pour deux raisons. Éviter un claquage musculaire en forçant les muscles à froid et que l'organisme soit chaud pour répondre au démarrage dès le départ de la course.

Il roule, avec les coureurs de son club, dans la campagne environnante, tout en discutant, la marmite chauffe, l'organisme monte en puissance. Henri accélère un peu, augmentant peu à peu son allure sur un braquet de 42*14 puis passe au 52*15. Quand il aperçoit les deux coureurs suspects qui discutent ensemble. Vite fait, il les rattrape et les salue. Une petite discussion s'engage, amicale. On parle de la course avec la côte qu'il faut gravir dix fois, cette côte allait faire la sélection. Puis l'un des coureurs se mit à parler de la forme. Rossignolet disait qu'il était au top, mais qu'aujourd'hui, il allait se placer mais pas de gagner, qu'il se réservait pour la ronde Bondoufloise. Henri en profite pour lancer un test en posant une question.

— Que faites-vous pour être en forme comme ça, moi j'ai beau rouler, manger énergétique et je n'arrive pas à faire mieux. Vous avez une méthode ?

— Si j'ai bien compris, tu vis à l'eau claire. Tu es de quel club ?

— De l'USG, oui c'est vrai je vis d'amour et d'eau fraîche, répond Henri en souriant. Il faut que je prenne des fortifiants ?

— Et même plus que ça. Dans ton club, tu as de jeunes Irlandais, des futurs pros, il paraît. Eh bien pose-leur la question, eux ils savent comment faire.

— Julien, il faut y aller maintenant, l'heure du départ approche, lui dit Trouboul.

Les coureurs se séparent, Henri se rend à sa voiture, il décide de se mettre de l'huile camphrée sur les jambes, car il sent la pluie venir, il enlève son deuxième maillot, prend son bidon et se dirige vers la ligne de départ. Il croise les deux capitaines qui marchent le long du circuit. Henri trouve qu'ils ont une drôle d'allure. Clara, qui habituellement montre une petite poitrine bien généreuse, a l'air engoncée dans ses vêtements. « Ils ont dû s'équiper de gilet pare-balle », se dit Henri. Un peu plus loin, il voit Marcelo avec le commissaire Benoist Lamour qui semble perdu parmi tous ces cyclistes. Cela virevolte de tous les côtés et leurs regards essaient vainement de suivre se va et vient infernal. Henri se dit que c'est bien que le commissaire soit venu accompagner ses adjoints, cela le remet en valeur dans l'enquête.

Un coup de sifflet strident retentit dans l'air encore froid de la ville. C'est le commissaire de course qui appelle les coursiers à venir sur la ligne de départ. De tous les côtés, on voit venir les coureurs, la tension monte d'un cran. On sent dans l'air des odeurs de camphre et de Musclor, les jambes rasées des cyclistes brillent sous l'effet du soleil. Henri se place en milieu de peloton, son numéro de dossard ne lui permettant pas d'être dans les premières places. Dès le départ, il va falloir qu'il se place, qu'il se bagarre pour être dans les premières positions. Le peloton est au calme, les coureurs écoutent le commissaire qui donne des consignes avant le départ. Le maire de la ville, le drapeau à la main, monte sur un escabeau afin que tous les cyclistes le voient quand il allait baisser le drapeau. On sent le peloton fébrile, des signes de nervosité se figent sur les visages. Le drapeau s'abaisse avec un cri dans l'espace feutré, « Partez ».

Et dans un grand bruit de cliquetis des pédales automatiques, les coureurs s'élancent. C'est un long cortège de couleurs bigarrées qui s'élance, le peloton s'étire dans les rues de la ville. Les gens applaudissent, crient des noms de coureurs. Premier virage et on entend les coups de patin de freinage, puis c'est la relance, des coureurs se mettent debout et appuient fortement sur leurs pédales. La course est lancée. Henri, après quelques hectomètres et quelques coups de coude, arrive à se placer dans les vingt premières places. Le départ a été rapide et il est légèrement essoufflé. Il regarde autour de lui, les coureurs de Corbeil-Essonnes sont devant le peloton, tirant énergiquement sur son guidon afin d'inciter les coureurs à les suivre. Il aperçoit les costauds autour de lui qui attendent la décantation du peloton. Il y a là, Aumont, Armant, Rossignolet et Trouboul. Ils ont l'air faciles, « Trop facile », pense Henri. La grande descente menant vers la Seine se présente, c'est la grande vitesse, Henri regarde son compteur, soixante-dix kilomètres à heure. Il a du mal à rester au contact des premiers et rétrograde à la quarantième place. Le long de la Seine, un vent fort venant du côté latéral droit oblige les coureurs à former des bordures. Henri n'aime pas ça, mais il arrive à s'accrocher à la deuxième. Au loin, à cinquante mètres, il voit un groupe de vingt coureurs. Mais même en appuyant fortement sur les pédales et en faisant de bons relais avec les autres coureurs qui l'accompagnent, impossible de recoller. Il regarde autour de lui, aucun des coureurs suspects n'est là. « Ils doivent être devant », se dit-il. Il lève la tête scrutant l'échappée et devine plus qu'il ne voit, la stature de Rossignolet. Sûrement que les autres sont avec lui. Henri aperçoit auprès de lui un coureur de Corbeil, il le reconnaît. C'est le bavard. Henri prend les devants et le salut.

— Salut comment ça va, tu n'as pas réussi à rester avec les meilleurs, lui demande Henri.

— Eh non, mais tu as vu qui est devant, Rossignolet, Trouboul. Que veux-tu faire contre des coureurs qui se chargent ? Il n'y a rien à faire.

— C'est quand même grave ce que tu dis là, tu les accuses de se droguer.

— Mais attends, tout le monde le sait, ce sont des gens protégés. De futurs pros, paraît-il. Demande à un de tes coureurs juniors irlandais de ton club, ils pourront te renseigner.

La discussion s'arrête là, car la fameuse côte se présente sous leurs roues. Henri se met devant son groupe et accélère son allure. Il se trouve dans son jardin, de gravir les côtes, cela le sublimait. Une petite pause à mi-montée et il appuie plus fort sur les pédales, son braquet de 52*17 lui est facile, aérien. Son groupe explose, il se retrouve seul, rattrapant un à un les coureurs échappés. En haut de la côte, il arrive sur quelque coursier qu'il dépasse aisément. Une dizaine de coureurs sont encore devant, dont les « costauds ». Rossignolet est facile, pas un tic sur son visage. Il discute avec Trouboul, cela a l'air tendu. Quand d'un seul coup, arrivés à la pointe de la côte, les deux coureurs attaquent sèchement, laissant sur place le groupe. Personne ne prend les roues, comme s'il fallait les laisser partir.

Henri ne tente rien, il reste là avec eux. La ville est traversée rapidement et la descente arrive vite fait. Les deux échappées sont parties, c'est en arrivant sur les berges de la Seine qu'on les aperçoit à cinq cents mètres. D'un seul coup, une pluie diluvienne tombe poussée par des rafales, venant du côté de la Seine, les coureurs sont détrempés, avec rage, Henri appuie de toutes ses forces sur les pédales pour ne pas lâcher prise.

À deux tours de l'arrivée, c'est fini. La course est pour ces deux coureurs. « Sûrement que c'est Rossignolet qui va gagner, il m'a fait de l'intox, tout à l'heure, en me disant qu'il ne roulait pas pour gagner cette course », fulmine Henri. Il regarde autour de lui, ils sont une cinquantaine de coureurs. Face au vent violent, une bordure se met en place et comme d'habitude Henri décroche. Les grandes lignes droites et les bordures sont ses faiblesses. Il ne s'affole pas et il continue à son train, les coureurs devant lui ne sont pas très loin, dans la côte il va en rattraper quelques-uns. Et elle arrive cette fameuse côte, Henri l'escalade avec une facilité, malgré ses chaussettes trempées qui flottent dans ses chaussures. Il se sent tellement bien qu'il en rie et son rire se transforme en rictus. Dans le faux plat de la mi-montée, il aperçoit une ambulance, un coureur est à terre. Il le reconnaît, c'est le coureur de Corbeil, le grand bavard.

À côté de lui se trouvent ses deux adjoints. Henri continue son chemin, appuyant plus fort sur les pédales. Il rattrape un par un, une dizaine de coureurs. Henri ne sait même plus à quelle place il se trouve. Le dernier tour, il le finit seul.

La ligne d'arrivée franchie, il entend le commissaire de course dicter son numéro dans un dictaphone. Puis il se rend à sa voiture. Il retire ses chaussures remplies d'eaux et tord son maillot trempé, il prend son gant de toilette et il s'essuie le visage puis les jambes. Il met son survêtement, range son vélo dans le coffre avec le sac de sport. Puis il attend tranquillement assis dans sa voiture, une bouteille de St Yorre à la main. Il voit ses capitaines qui viennent le voir. Tout le monde étant occupé à se changer, Henri demande ce qui s'est passé avec le coureur tombé dans la côte.

— Deux coureurs se sont touchés et puis un est tombé dans les décors. Ce qui est bizarre, c'est qu'ils n'étaient que cinq coureurs, comment ont-ils fait pour se cogner ? demande Clara.

— En passant, j'ai vu qu'il s'agissait du coureur de Corbeil, celui qui parle un peu trop, répond Henri. À mon avis, il a été poussé exprès. Il y avait combien de coureurs entre eux et moi ?

François compte mentalement, tout en admirant le vélo de son chef. Un, deux, trois, quatre et cinq et eux, ils étaient cinq, pourquoi commissaire ?

— D'après mon classement, on trouvera les noms des coureurs qui l'accompagnaient et un de ces coureurs sera celui qui l'a bousculé. Et ce sera sûrement quelqu'un qui fait partie du réseau.

— Pas bête commissaire, ainsi petit à petit on va arriver à trouver tout le réseau, obtempère François.

— Oui, en espérant faire tomber la tête, répond Henri. J'irais le voir à l'hôpital pour l'interroger, car il a l'air de connaître beaucoup de choses.

— C'est pour ça qu'ils l'ont mis dans les décors, c'est un avertissement, dit Clara.

— Oui et par deux fois, il m'a dit de voir avec un coureur irlandais de mon club, émet Henri.

7

Voilà un beau dimanche qui s'annonce pour le mois de mars, le ciel est dégagé, laissant le soleil lancer ses rayons ardents sur la ville réveillée. Une grande maison ancienne, faite en pierre meulière et au toit en ardoise, ressemblant à ces demeures antiques des années 1900. De grandes fenêtres blanches, des volets en bois de couleur verte, une grande entrée surmontée d'une marquise au petit toit d'ardoises. Trois marches permettent d'accéder à l'entrée principale, puis une grande porte, à double battant à ouverture automatique de couleur blanche qui doit être le garage, se trouve incorporée à la maison. Devant cette grande porte, il y a deux imposantes Mercédès noires. Autour de la maison, il y a un imposant jardin bien entretenu. Le tout clos par un muret d'un mètre, surélevé d'une grille en fer forgé.

Cette énorme bâtisse en impose, dans le quartier, elle est surnommée par les voisins de « grande villa ». Dans la grande pièce principale aux tapisseries de couleurs chatoyantes, trois hommes sont en grande discussion. Dans un coin de la pièce, est entreposé à même le sol, une cinquantaine de petits cartons. Sur une table, adossée auprès d'un mur près d'une cheminée antique, il y a un tas de boîtes de médicaments, de tuyau plastique transparent, de pochette de sang et aussi des produits énergétiques en grandes quantités. À croire que l'on se trouve chez un pharmacien. À voir tous ces produits, éparpillés de tous les côtés, on voit très bien que l'on se trouve au domicile de gens faisant partie d'un réseau de dopage dans le milieu cycliste. Assis à une table, les trois hommes discutent fermes tout en dégustant un Chivas. L'un des trois, sûrement le chef, semble disputer les deux autres. Son visage globuleux, rouge écarlate par la colère, avec des yeux exsangues, lui confère une tête cruelle. Comme il parle avec virulence, des postillons atterrissent sur la table. Les deux hommes ne bronchent pas, ils ont les yeux fixés sur la table cherchant un hypothétique grain de riz. Ils n'osent pas regarder leur chef en face. Dans la pièce à côté, on entend comme des gémissements. Les trois hommes n'y font pas attention, trop occupés dans leurs explications houleuses.

— Pourquoi avoir tué ces deux hommes ? crie le globuleux, cela va attirer la police sur nos activités. Et celui qui gémit à côté, qu'est-ce qu'il a ? Un des deux hommes qui a la tête d'un intello, la quarantaine passée, il est habillé d'un costard avec un nœud papillon lui répond.

— Eh bien, figure-toi que ce coureur a fait une overdose à l'EPO qu'il a mélangée avec de la cocaïne. Voilà le résultat, c'est comme s'il avait mis une bombe dans son estomac.

— Et il va s'en sortir ? Étant donné qu'il ne faut pas un autre mort. Grogne le globuleux, un peu calmé.

— J'espère que son cœur tiendra le coup, car avec l'EPO, le sang devient épais. S'il passe les deux jours, cela ira. Mais pendant quinze jours, il faut que je le garde en surveillance.

— Tu ne peux pas l'hospitaliser dans ta clinique ?

— Non, pas maintenant, il est trop atteint. Dans trois jours, je le ferai hospitaliser.

— Bon continué de faire fonctionner le réseau parmi les coureurs, mais faites attention, tenez en main vos hommes. Pas de problème pour Ablon ? demande le chef.

— Non. Mais il y a un coureur qui parle beaucoup, dit l'homme au nœud papillon.

— Et qu'allez-vous faire ? demande le globuleux.

— On va lui donner un avertissement, un coup d'épaule et hop dans le fossé, répond ironiquement le troisième homme qui cache son visage sous une casquette.

— Bien mais pas d'impair, notre affaire marche bien, nous gagnons tous de l'argent, il faut que cela continue, insiste le globuleux.

— Pas de problème, répondirent en chœur les deux hommes.

Le globuleux sort de la maison et monte dans une des grosses Mercédès noires aux vitres teintées. La voiture détale à fond la caisse, devant le regard médusé d'un passant. Les deux hommes restés dans la maison vont voir le coureur malade. Le jeune homme qui doit avoir une vingtaine d'années est allongé sur un grand lit. Une figure blanche, laiteuse, les yeux grands ouverts. Un regard vide, le jeune homme est dans le coma. Le docteur l'ausculte et note tout sur un carnet, il vérifie la poche du goutte-à-goutte et règle le débit. Son collègue nettoie son visage, de la bave coule sur son menton. Le grabataire est triste à voir. L'homme qui le soigne est grand svelte, une fine moustache bien ciselée sur le bord des lèvres, des yeux petits sournois et inquisiteurs, il ressemble à un Italien. Il s'inquiète pour le coureur, de le voir ainsi le rend malade. Cette merde qu'il vend dans le peloton, cette EPO que certains coureurs réclament, à cors et à cris, voilà ce que cela fait quand on en abuse. De son temps, quand il courait en première catégorie, il n'avait jamais touché au dopage. C'est vrai qu'il n'avait jamais gagné de course non plus, roulé à l'eau claire, cela ne rapporte rien.

Et voilà que maintenant, il vend cette putain de saloperie, mais il a besoin d'argent, de beaucoup d'argent. Il faut qu'il aille jusqu'au bout de son engagement, il le faut, il en avait besoin. Il se tourne vers son collègue et il s'inquiète de la santé du jeunot.

— Tu crois qu'il va s'en sortir, à vingt ans quand même, c'est trop jeune pour mourir.

— Pour l'instant, il est dans le coma, normalement, si demain son état s'améliore, il s'en sortira. Mais il lui restera des séquelles. Bon, tu vas rester avec lui, tu vas le soigner et t'occuper de lui. Je te laisse les médicaments à lui administrer. Je t'ai tout noté sur cette feuille.

— OK, je vais m'en occuper, j'ai posé cinq jours de RTT à mon travail, donc je suis libre.

Puis le docteur s'en va, il démarre sa luxueuse Mercédès et disparaît dans les méandres de la ville. Le grand svelte reste seul dans cette vaste maison. Il retourne dans le salon, à la recherche de quelque chose à boire. Il fouille dans tous les meubles et ne trouve rien. À la cuisine, rebelote, il fouille et refouille, quand miracle, dans un placard, il trouve un tas de bouteilles. Il fait mentalement l'inventaire. Il y a du whisky, de la vodka et de la Téquila. Il prend la bouteille de whisky, cherche des glaçons dans le frigo et se sert un grand verre. La première gorgée lui brûle la gorge, mais la deuxième passe bien et le reste aussi. En un rien de temps, la bouteille finie dans la poubelle. Après avoir bien assimilé son alcool, il se met à regarder chaque pièce de la maison. C'est la première fois qu'il vient ici, il est là, à la demande du docteur. Il s'arrête devant la table où se trouvent tous les produits dopants. Il a envie de tout foutre en l'air, mais il se retient. L'argent, le nerf de la guerre, l'empêche de tout détruire. Il continue sa visite des lieux. Au bout d'un moment, la fatigue le prend, ou bien l'alcool ingurgité. Il y a peu, commence à agir, la tête lui tourne et ses yeux tels des billes virevoltent dans ses orbites. Il a juste le temps de trouver un lit et il s'affale ainsi de tout son long.

Une demi-heure après, la maison résonne de ses ronflements. Il se réveille, la tête prête à exploser, la bouche pâteuse, il a une gueule de bois carabinée. Il se sert un grand verre d'eau. Puis il se fait du café. Il trouve dans un placard un paquet de casse-croûte et dans le frigo du lait et du beurre. Il déjeune copieusement, en avalant deux Dolipranes. Combien de temps a-t-il dormi, il n'en sait rien, il regarde la pendule accrochée au mur de la cuisine. Elle indique quatorze heures, il avait dormi plus de dix heures. Une demi-heure après, ayant récupéré ses esprits, il continue sa visite des lieux. Les chambres sont propres, bien rangées. Les lits sont faits, prêts à recevoir des invités. Il se met à une fenêtre, le jour est levé, avec un beau temps. Au loin, il voit quelques cyclistes. « Eh bien aujourd'hui, c'est raté, pas d'entraînement », se dit-il. Il aimait bien dynamiter les pelotons, parfois il lançait quelques mines, avec un puissant braquet qu'il emmenait de toutes ses forces, ses collègues poussaient de grands cris, mais lui continuait d'appuyer plus fort sur les pédales, un rictus sur les lèvres, il aimait bien faire mal aux autres.

Pour se dégourdir les jambes, il va faire un tour au jardin. Les fleurs commencent à sortir, les bourgeons pointent sur les branches des arbres. Il est content de sentir cet air frais, cela lui fait du bien. La gueule de bois est partie, envolée. En regardant la grande bâtisse, il aperçoit une petite porte. Cette porte mène à la cave. Il tourne la poignée et comme par miracle, elle s'ouvre. Il fait noir là-dedans, il cherche l'interrupteur et allume. Plusieurs caves se présentent à lui, mais une forte odeur imprègne l'atmosphère. C'est une odeur de pourri, de viande en décomposition. Il prend son mouchoir et le met sur son nez. Puis il ouvre la première porte, il n'y a que des vélos. La deuxième porte est fermée à clé, à travers les planches, il devine plus qu'il ne voit, des cartons et des malles. Il se dirige vers l'ultime porte, un cadenas entrouvert, la tient fermée. Il le retire et ouvre en grand le battant. Il fait un bond en arrière, l'énorme vrombissement et une nuée de grosses mouches le déséquilibrent. L'odeur est insupportable. Il s'éloigne de la cave à la recherche d'un interrupteur. Il tâtonne un peu partout et trouve ce qu'il cherche.

Un doigt fébrile sur le bouton, il appuie, un clic et il ne se passe rien. Fébrilement, il cherche un autre bouton, enfin il en trouve un, il actionne et la pièce s'éclaire. Il est dans un long couloir, il aperçoit de petits meubles, un classeur et une petite table avec sa chaise. Tout est bien propre. Le grand dégingandé regarde partout, il voit la cave où une myriade de mouches bleues vole dans tous les sens. Les insectes ont été dérangés dans leur festin. Il s'approche de la cave, tout en faisant de grands moulinets de ses bras et en gardant bien fermement son mouchoir sur sa bouche et son nez. Malgré tout, l'odeur persistante passe quand même. Il devine une forme allongée à même le sol, il s'approche, quand il fait un bond de côté, une bande de rats passent entre ses jambes. Son cœur bat la chamade, le choc de ces bêtes contre ses chevilles, lui fait une belle frousse. Il cherche à allumer la cave et il trouve un interrupteur, un clic et le voilà en pleine clarté. L'ampoule au milieu du plafond éclaire de sa lumière blafarde, un corps allongé. Le grand gaillard tout grand qu'il est a failli tomber à la renverse, une envie de vomir lui monte à la gorge, mais il arrive à se contrôler. Il regarde de plus près et découvre avec horreur que la moitié de la tête a été dévorée par les rats. Les mains et les pieds sont dans le même état. L'homme est complètement nu, le corps est de toutes les couleurs, l'abdomen a éclaté sous l'affluence des asticots. Les intestins sont étalés sur le sol, à moitié bouffés par les rats.

Le grand dégingandé découvre avec horreur qu'il s'agit du médecin chargé des coureurs du réseau. Il remonte rapidement à l'étage, laissant toutes les portes ouvertes, il se dirige vers la cuisine, il prend la bouteille de Vodka et il la vide complètement, d'un trait. La chaleur de l'alcool le réveille, il reprend ses esprits. Il tourne en rond dans la pièce, son cerveau est en pleine révolution. Que dois-je faire ? Que s'est-il passé ? marmonne-t-il entre ses dents. Pendant ce temps-là, dans la cave, deux chiens attirés par l'odeur du corps en décomposition sont entrés et se disputent une cheville. Chacun tirant de son côté, quand elle se détache du genou. L'un des chiens, le morceau dans sa gueule part à toutes jambes, il est suivi par l'autre qui aboie comme un excité. Sur le trottoir, quelques badauds voient avec stupeur ce triste spectacle. Les femmes se mettent à crier en voyant la cheville dans la gueule du chien. Le pauvre animal, devant tant de monde prend peur et se couche sur le trottoir, cela ne l'empêche pas de dévorer allègrement cette bonne viande sous le regard envieux de l'autre chien. Un homme, voyant cela, sort son portable et appelle la police.

À peine une demi-heure est passée qu'un fourgon de police arrive. L'un des hommes a une grande perche munie à son bout d'un fil. Le policier glisse cette boucle autour du cou du chien et tire fortement sur une poignée. Le chien ceinturé lâche sa proie et se débat de tout côté, mais le policier tient bon. Son collègue approche avec une grande cage et d'un geste bien précis, le chien se trouve enfermé. La cheville est en plein milieu du trottoir, la maréchaussée entoure le secteur avec un ruban jaune. Pendant ce temps-là, le grand dégingandé, trop occupé à chercher une solution, passablement abruti par l'alcool, il n'entend rien. Même pas le klaxon de la police.

Il reste assis dans un coin de la cuisine, une bouteille de Vodka à la main. Il est perdu, loin de la réalité. Il réalise d'un seul coup qu'il est encore là, bien vivant quand il voit en face de lui un grand gaillard, dans un éclair, il croit voir Bérurier de San Antonio, il se frotte les yeux, croyant rêver. Mais non, il y a bien un grand gaillard en face de lui, ses vêtements sont amples, il a une mine patibulaire. Il a en face de lui le commissaire Jason Lapluche de la PJ de Créteil. Il voit des policiers allant dans tous les sens, il ne comprend plus rien. Ne sachant que faire, il attend tranquillement, assis sur sa chaise, il pose sa bouteille au sol, se sentant ridicule. Quand l'un des policiers appelle le commissaire. Venez voir commissaire, il y a un jeune homme ici, il est complètement dans les vapes. Le commissaire va dans la chambre et quand il découvre ce corps inanimé, il demande au policier d'aller chercher le médecin de la scientifique qui se trouve à la cave. Puis il regarde le jeune homme, il a le visage émacié, blanc comme un cadavre, les yeux sont grands ouverts fixant le plafond, un regard absent, une bave séchée aux commissures des lèvres. Il passe sa main devant ses yeux, il n'a aucune réaction. « Il est dans le coltard », se dit-il. Puis il se rend dans le salon et découvre une vraie pharmacopée. Il y a de tout, de la seringue aux poches de sang vide, des médicaments, de l'EPO. Dans un coin il voit un carton, il l'ouvre et sort des maillots de cyclistes. Sur la table, il prend un cahier, une liste de noms s'affiche avec des références en face ainsi que des dates. Il reconnaît des noms de coureurs impliqués dans l'affaire de la course cycliste de Combs-la-Ville. Aussitôt, il comprend, il se trouve dans les locaux du réseau de dopage. C'est une affaire qui concerne le commissaire du 36, derechef, il prend son portable et il l'appelle au Quai des Orfèvres.

— Bonjour, commissaire Jason Lapluche de la PJ de Créteil, je voudrais parler au commissaire Henri Navarette. Quoi… Pardon… Oui de suite, s'il vous plaît.

Le commissaire attend deux minutes, quand la voix du commissaire Navarette retentit à l'autre bout du portable :

— Bonjour commissaire Lapluche, qu'est-ce qui se passe ?

— Vous devriez venir ici, à Créteil, je crois que j'ai découvert le repaire du réseau de dopage sur lequel vous enquêtez. C'est dans le vieux Créteil, Rue de Bellevue.

— Bon, nous arrivons, répond Henri, pas très enthousiaste de revoir ce pachyderme.

Il appelle ses deux adjoints et rapidement, ils se dirigent vers le parking. La voiture de fonction est fin prête. François de sa conduite nerveuse mais rapide les emmène en un rien de temps à Créteil, se servant de temps en temps des deux tons. Clara toujours aussi pimpante a emporté son appareil photo. Henri leur explique que le commissaire Lapluche semble avoir découvert le repaire du réseau de drogue, il y aurait aussi deux corps.

— Ah ! Qui sont ces deux corps ? demande Clara.

— Je ne sais pas dit, il n'a rien dit, simplement il m'a fait comprendre qu'un des deux hommes, serait encore vivant.

— Au fait commissaire, nous n'avons pas eu le temps de vous le dire, mais vous avez été majestueux dans la montée sur la course de dimanche à Ablon. Hein ! François, qu'est-ce que tu en penses ?

— Je n'y connais rien en cyclisme, mais il faut avouer que vous étiez à l'aise dans cette montée. Mais moi, c'est le foot que je préfère. D'abord, c'est moins dangereux. Regardez, un mort l'autre jour et hier une chute, cela fait beaucoup, non !

Ce que ne dit pas François, c'est qu'il fait partie d'un club de foot, le club de la police nationale. Il est attaquant dans son équipe. Une modeste équipe, mais il aime ça, jouer au foot. Tous les lundis à 19 heures, il a son entraînement qu'il ne rate jamais, c'est sa passion.

Au bout d'une demi-heure de route, ils se retrouvent dans un quartier chic, c'est une zone pavillonnaire des années cinquante. La plupart des maisons sont en pierres meulières avec des tuiles rouges. Il y a beaucoup de monde sur les trottoirs, la scène de crime est cernée par des rubans jaunes et des policiers font le pied de grue devant la maison. Henri pousse la grille à moitié ouverte et salue le policier de service, puis il gravit les quelques marches le menant dans un grand vestibule. Le sosie de Bérurier l'attend de pied ferme à la porte du salon et avec sa verve méridionale, il le salue chaleureusement.

— Bonjour commissaire Navarette. Eh bien dites donc, ça bouge dans le cyclisme en ce moment. C'est la panique à bord…

— Mais c'est une vraie pharmacie ici, regardez : EPO, produit masquant, des médicaments, des seringues et des poches. Et là, des bêta-stimulants et ça du Clenbutérol, c'est une drogue pour les chevaux. Henri est estomaqué de voir tous ces produits de dopage interdit. « Le peloton est vraiment malade », se dit-il. Près de vingt ans dans le milieu cycliste et il n'a rien vu, rien entendu de ce dopage caractérisé. Il en est écœuré. Des jeunes risquent leur vie en prenant ces produits, tout cela pour gagner des courses, montrer les couleurs des maillots aux avant-postes, faire plaisir aux sponsors. C'est lamentable. Il est interrompu dans ses réflexions par le sosie de Bérurier.

— Alors, ça vous en bouche un coin commissaire, et ce n'est pas fini, suivez-moi.

Tout le monde suit le géant, le parquet en bois, crissait sous ses pas de pachyderme. Ils arrivent dans une chambre, un jeune homme est pris en main par des médecins du Samu. Ils l'ont posé sur un brancard, à son bras gauche, ils lui ont mis le goutte-à-goutte. Il gémit à fendre l'âme. Henry s'approche et regarde ce corps malade, il est d'une pâleur morbide, les yeux sont révulsés. « Se mettre dans cet état-là, à vingt ans, tout ça pour un sport que l'on aime, c'est quand même lamentable », soupire Henri, qui se tourne vers le médecin pour lui demander son avis.

— Pour l'instant, nous ne pouvons rien y faire, il est en overdose médicamenteuse, il faudra compter plusieurs jours, avant qu'il ne se réveille. Mais dans quel état il sera ? Dieu seul le sait. Il aura des séquelles irrémédiables.

Henri remercie le médecin et son Dieu et suit le sosie de Bérurier dans un escalier miteux qui les amène à la cave. Une forte odeur de pourri leur prend à la gorge. C'est infect. N'ayant pas de mouchoir, Henri remonte le col de sa veste sur le nez. La scientifique a mis le corps dans un sac de plastique, le commissaire Lapluche demande qu'on le découvre. En voyant ce corps démembré au visage à moitié dévoré, le commissaire Navarette a une répulsion. Le capitaine Analila part en courant vers le jardin, elle est suivie par François. Retenant son envie de vomir, Henri demande à la scientifique de quoi il est réellement mort.

— Regardez, le côté de sa tête qui n'a pas été dévoré, on voit l'impact d'une balle. Cet homme a été abattu froidement, rétorque le scientifique.

— Vous avez trouvé l'arme ? demande Henri.

— Non, nous n'avons rien trouvé. On a même fait des recherches dans le jardin et les alentours de la maison et rien.

— Bien merci, comme d'habitude vous m'envoyez le rapport sur mon mail.

— Pas de problème commissaire. Ah, autre chose, cet homme, c'est un ancien médecin, je le connais, j'ai fait des études avec lui, il s'agit du docteur Scorsèse.

« Et voilà, encore un témoin potentiel du meurtre de Combs-la-Ville en moins, ils font le vide », marmonne Henri.

— Bon commissaire Lapluche, nous n'avons plus rien à faire ici. Vous m'envoyez votre rapport à mon bureau s'il vous plaît. Cela me fait encore un témoin qui disparaît, l'enquête devient difficile.

— Vous avez raison commissaire, c'est un peu le bordel dans ce milieu cycliste, vous ne croyez pas ?

Henri n'a que faire de ses réflexions à cent balles et il le plante là-dessus. Henri n'aime pas trop que l'on parle de mal de son sport, même si cela est gênant de découvrir une pratique qu'il croyait réservée au haut niveau. Plus il avance dans cette enquête et plus il découvre l'horreur de ce système de dopage généralisé. Les deux capitaines sont dans le jardin essayant de récupérer de cette épouvantable découverte. Clara est blanche comme un cachet d'aspirine, elle tremble comme une feuille morte, les nerfs la lâchent. Henri leur fait signe que l'on s'en va.

Arrivé dans la voiture, François se laisse aller et ne fait que répéter les mêmes mots.

— Quelles horreurs, mais quelles horreurs ! Déjà trois morts et un entre la vie et la mort. Quand est-ce que cela va s'arrêter ? C'est horrible.

Clara n'a aucune réaction aux dires de son collègue, elle est plutôt occupée à essayer de récupérer. Henri reste dans un mutisme de plomb, attendant d'arriver à son bureau pour faire le point. L'affaire prend des proportions auxquelles il ne s'y attendait pas. Ce coureur, entre la vie et la mort, l'a un peu traumatisé. Et ce corps à moitié dévoré par les rats, abattu froidement. L'enquête prend une mauvaise tournure. Il faut à tout prix qu'il ne se laisse pas dominer par les évènements, surtout garder son sang-froid et sa sérénité. Rester lucide et remonter le moral de ses coéquipiers. Surtout Clara qui en a pris un coup. « Au bureau, il va falloir que je calme tout ça », se dit-il. En même temps, il touche sa poche droite et il entend le bruit du papier-journal, encore des faits à analyser pour l'avancer de l'enquête.

En effet, Henri a récupéré sur la table auprès des produits dopants, des coupures de journaux qui, il espère, vont l'aider pour la suite de son enquête.

8

Ils arrivent ensemble au 36 quai des Orfèvres, ils ont la tête des mauvais jours. Clara part directement aux toilettes pour se rafraîchir le visage. François ayant récupéré rejoint son bureau. Henri écrit son rapport, il noircit les pages à une allure de sprinteur, au bout d'une heure, il a rempli dix pages. Il met le tout dans une enveloppe et il appelle son équipe. La nuit tombe brutalement et le bureau s'assombrit. Henri reste dans une semi-pénombre en attendant son staff, cela lui fait du bien et il réfléchit beaucoup mieux ainsi. La faim lui tiraille l'estomac, il regarde sa montre, dix-huit heures. « Une petite excursion au Golf du Val grand me fera du bien », se dit-il. Et puis, pourquoi ne pas, revoir sa belle dame. À cet instant, les deux capitaines entrent, à voir leurs visages, ils vont quand même mieux. Ils ont l'air d'avoir bien récupéré.

— Bien, cette journée a été éprouvante pour nous tous, je pense, dit Henri en les regardant. Le mieux, c'est de rentrer chacun chez soi. On fera un briefing demain matin à huit heures. Je pense que l'on aura les rapports de la scientifique d'ici là. Allez, bonne soirée à tous les deux et reposez-vous bien. À demain.

Les deux capitaines s'en vont rapidement, ils ont besoin de faire le vide dans leur tête, car leur mission n'est pas encore terminée, tant s'en faut. Henri, bien aguerri à ce genre de situation, arrive à bien supporter ces problèmes. Il met sa veste et quitte son bureau tout guilleret. Il trouve le parking souterrain du 36 pratiquement vide. Il sort rapidement, se mélangeant dans une circulation dense, les rues de la capitale sont chargées à mort. La nuit est tombée comme une chape, pas une étoile n'est visible, même la lune joue à cache-cache. L'air est humide, mais il ne pleut pas. Henri se faufile dans la circulation qui par endroit est clairsemée, il regarde la montre du tableau de bord, les chiffres digitaux de couleur rouge annoncent 19 heures 30. « Parfait se dit-il, la bonne heure pour dîner ». À peine une heure de route et le voilà arrivé au Golf. « Tiens, se dit-il, ma Latine n'a pas fait son apparition aujourd'hui ». Instinctivement, il regarde dans le rétro, il n'y a personne sur la banquette arrière. Elle commence à lui manquer sa belle brune. C'est vrai que depuis quelques jours son fantôme, son amoureuse épisodique avait disparu. Pourquoi ? Est-ce à cause de la nouvelle prétendante ? Même en virtuel, la jalousie existe… « Bof, avec les femmes, on a toujours des surprises », se dit-il.

Le bâtiment fait de bois avec ses éclairages nocturnes ressort dans la campagne essonnienne, Henri se gare près de l'entrée parmi quelques voitures de luxe et gravit prestement les quelques marches le menant au bar. Quelques golfeurs encore avec leurs tenues sportives éclusent leur Grimtower. Henri jette un œil vers les fauteuils, il y a du monde, mais pas sa belle brune. Décidément, ses deux prétendantes sont absentes aujourd'hui, il en est déçu. Un homme aux cheveux poivre et sel, une tignasse à la Richard Gère, est accoudé au bar, un Kir à la main, il discute avec un client. C'est le patron des lieux. En voyant arriver Henri, il laisse tomber son client et vient à sa rencontre.

— Bonsoir commissaire, alors cela fait un moment que l'on ne vous a pas vus, comment ça va ?

— Beaucoup de travail, Monsieur Schnedaire, j'ai une enquête très difficile qui me prend la tête.

— Pourquoi ne venez-vous pas faire un tour sur le green, cela vous ferait du bien, le fait de taper dans la petite balle vous décompressera. Et je serai votre coach, car à mon avis vous ne savez pas jouer.

— Vous avez raison, je ne sais pas jouer, mon sport c'est le vélo. Mais pourquoi pas ? répond Henri, un jour peut-être.

— Je dois vous laisser, car Monique m'appelle, sûrement un problème à régler. Puis il appelle Vincent.

— Tu offres une coupe de champagne au commissaire, c'est moi qui paye. Vincent, voyant le commissaire, à un grand sourire et vient vers lui.

— Alors commissaire on ne vous voit plus. Le vélo et le travail vous prennent beaucoup, je crois.

— Tu as tout deviné, Vincent.

— Même la femme brune vous a réclamé, elle venait tous les jours et elle attendait.

— Ah bon, mais ce soir je suis là et elle n'est pas là.

— Elle ne va sûrement pas tarder, il n'est que huit heures. Ah, au fait commissaire, des clients ont vu un article dans l'Équipe. Dans une course cycliste, il y aurait eu un mort, vous êtes au courant de cette affaire ?

— Oui, j'étais même dans le peloton quand le coureur est tombé et moi aussi d'ailleurs j'ai fait partie de cette fameuse gamelle.

— Vous ne vous êtes pas fait trop mal ?

— Non, j'ai glissé dans le fossé et l'herbe a amorti ma chute. Je n'ai que quelques égratignures, cela me démange, mais c'est tout.

— J'ai écouté les clients qui disaient qu'il s'agirait d'une histoire de dopage. Qu'est-ce que vous en pensez ? Et c'est vous qui enquêtez ?

— Oui, c'est moi qui suis chargé de l'enquête. Mais chut, il ne faut pas le dire.

— OK, je suis bouche cousue, muet comme une carpe.

Son verre fini, il va pour se diriger vers le restaurant, quand Vincent lui fait un clin d'œil. Son regard oscille vers la droite. Henri se retourne. Son cœur s'emballe. Elle est là et automatiquement, elle se dirige à grands pas vers lui. Il entend son cœur battre comme un tambour. Henri se comporte comme un gamin. Elle est splendide dans son deux pièces de chez Cacharel, ses longs cheveux noirs, tombant sur ses reins, flottent dans l'air, ses belles couleurs latines resplendissent dans ce bar chargé de monde, les regards sont collés sur elle. Mais la jeune femme n'y fait pas attention, elle est attirée seulement par Henri, c'est un amour qui se découvre dans ce bar mythique du Golf. Henri la salue gauchement, lui tendant une main timide, elle s'assoit sur un tabouret et elle commence à engager la discussion, avec un grand sourire intimidant.

— Bonjour commissaire, ça va ? Cela fait un moment que vous n'êtes pas venu ici. C'est le travail qui vous retient, ou alors le vélo ? Henri essaie de reprendre ses esprits, son cœur bat à 180 pulsations/minutes, c'est comme s'il montait une côte au sprint à vélo. Tranquillement, en respirant profondément mais lentement, il calme son cœur.

— Oui, j'ai beaucoup de travail en ce moment. J'allais passer à table, cela vous dit de partager mon repas ?

— Oui, c'est avec un grand plaisir, je n'ai pas encore mangé.

Vincent les dirige vers le restaurant, il les place dans un coin tranquille. De leur table, ils ont la vue sur le terrain de Golf. Au fond, ils voient le clocher de Bondoufle éclairé par une lumière ocre qui rehausse le bâtiment religieux. Les bosses du green sont accentuées par une petite lune faiblarde. Henri est mélancolique de voir cette belle vue.

— Voilà monsieur, madame, vous serez bien ici. Qu'est-ce que je vous sers ? Un petit Champagne ?

— Oui, Vincent, avec les petites fritures habituelles. Et pour le reste comme d'habitude. Et vous, vous prendrez quoi ?

— Eh bien, la même chose que le commissaire, Vincent.

— Tournedos Rossini, crème brûlée et une petite bouteille de Croze-Hermitage. Que du classique commissaire. Je vous emmène tout ça, répond aimablement Vincent.

L'ambiance est feutrée, bon enfant. Ils sont encore comme deux étrangers qui viennent de se connaître. La première à rompre la glace est la belle Latine qui de sa voix suave et langoureuse lance la discussion.

— Commissaire, vous ne croyez pas que l'on pourrait se tutoyer et de s'appeler par nos prénoms, depuis le temps que l'on se voit, alors je m'appelle Maria Del Carmen et je suis mexicaine, mais appelez-moi Carmen, c'est plus court.

— Oui, vous avez raison, on a l'air ridicule en se vouvoyant, on est plus à l'époque féodale. Je m'appelle Henri et je suis breton et maintenant on se tutoie.

Henri a fini sa phrase sur un petit sourire enjôleur, la glace est rompue. Les présentations ainsi faites, chacun commence à parler de sa vie. Marie Del Carmen après un mariage désastreux vit seule. Pas d'enfant, divorcée, elle est libre comme l'air. Avocate dans un grand cabinet d'Évry, elle vit bien sa vie, aimant les belles robes et les bons parfums. Henri de son côté parle de ses enquêtes au sein de la police, surtout celle qu'il a en main en ce moment. Puis, il raconte la mort de sa femme dans un accident de voiture, le grand amour qu'il a eu avec elle. La dépression pendant une année, ses supérieurs qui veulent qu'il aille voir un psy, la totale quoi !

La soirée passe rapidement pour le couple, ils auraient voulu bloquer les aiguilles de l'horloge, tellement ils se trouvaient bien ensemble. Mais voilà, il faut penser au lendemain, le travail qui les attend. Après avoir dégusté un petit Cognac, ils se quittent en se faisant un petit baiser amical sur la joue, qui malencontreusement glisse sur ses lèvres, Henri reste bloqué, le feu aux joues et les jambes flageolantes, Carmen s'en va rapidement vers sa voiture. Il la voit partir dans sa Clio, elle lui fait un signe de la main et elle disparaît dans la nuit. Il reste là pétrifié, ne sachant que faire, il se passe la langue sur ses lèvres et il sent son parfum. Comme un automate, il se dirige vers sa voiture en suivant les volutes du parfum de Carmen et rentre chez lui. Henri passe une nuit agréable, ses pensées sont pour la belle Latine. Il est devenu fou amoureux de la belle Carmen. Il sent encore son parfum envoûtant, il se repasse la langue sur le bord des lèvres, un goût charnel se propage dans toute sa bouche, il en frissonne de plaisir.

Le réveil est délicieux à souhait, Henri a l'impression de revivre. Il ouvre ses volets, la nuit est encore là. Pas un brin de vent, un calme platonique. « C'est parfait se dit-il, pour l'entraînement de cet après-midi cela va être bon ». Il prend sa douche, puis il déjeune à la bretonne : café au lait, pain grillé tartiné de beurre salé. Une heure après, il arrive à son bureau, frais et dispo pour une journée chargée. Henri se sent en pleine forme. Il est à peine assis dans son fauteuil à ressorts, que ses deux capitaines arrivent avec le café. L'odeur suave de cet élixir embaume le bureau. Tout en dégustant sa tasse de café, Henri démarre son ordi. Des messages de la scientifique s'affichent. Il ouvre le premier, il s'agit de l'autopsie du cadavre découvert dans la cave, il imprime le document. Le second concerne l'inventaire de tous les produits découverts dans la maison. L'impression est lancée aussi. Et le dernier document concerne un rapport détaillé sur le jeune homme trouvé dans le coma. Henri en fait une impression et puis il regarde ses équipiers, ils paraissent en pleine force, prêts à en découdre.

— Vous avez tous les deux récupéré, à ce que je vois. Clara vous avez une mine resplendissante, aujourd'hui ! Et vous François, vous avez la pêche. Henri, a besoin de remonter le moral de ses troupes, car la découverte de ce corps décomposé, à moitié dévoré par les rats et, de voir ce jeune homme dans l'état qu'il était, leur a fait beaucoup de mal. Et avec ce qu'il a trouvé sur une table près des médicaments, va encore les remuer. Il faut que je les motive pour la suite de l'enquête qui va sûrement monter d'un cran. Clara prend la parole, trouvant son chef bien en forme.

— Commissaire, vous avez une mine resplendissante, comme si vous aviez découvert le grand amour. Je me trompe ?

Clara a bien deviné, le sixième sens, bien féminin, a parlé. Henri en reste pantois, ne sachant que dire, devant sa coéquipière qui a la vertu de deviner les choses. Et François renchérit là-dessus.

— C'est vrai commissaire, Clara à raison, la course cycliste que vous avez bien maîtrisée, la joie que l'on voit sur votre visage. Cela cache quelque chose.

— Vous avez raison, cher collègue, j'ai trouvé une femme merveilleuse en ce moment, c'est peut-être le grand amour. Mais bon ! On verra avec le temps. J'ai encore en mémoire ma femme qui est morte dans un accident de voiture. N'allons pas trop vite. Henri fait une petite pause en finissant sa tasse de café qui a refroidi, un peu remué de rappeler ses souvenirs. Il réagit rapidement et commence à parler travail.

— Bon, avant de vous lire les comptes rendus de la scientifique, il faut que je vous parle de ces coupures de presse que j'ai trouvées dans la maison. Il s'agit d'articles sur des incidents ou des accidents qui ont eu lieu dans des courses cyclistes, hors Île-de-France.

— Ces articles étaient gardés par ces hommes présumés assassins, ces vendeurs de produits dopants, comme des trophées. Cela veut dire que le réseau aurait des ramifications dans toute la France ? demande François.

— Oui, c'est vrai, c'est bien de cela qu'il s'agit, d'un réseau national. D'après ces documents, les coureurs qui ont eu des accidents sont, soit légèrement blessés et d'autres sont restés paralysés à la suite des chutes. Mais tous les coureurs incriminés avaient un taux d'hématocrite de près de 60 %. Donc tous dopés. Et un nom circule dans toute cette affaire, le docteur Scorsère qui soit dit en passant, est le corps découvert dans la cave. Passons maintenant à la lecture des comptes rendus de la scientifique. « Corps trouvé dans la cave de la maison. L'individu serait mort sur le coup, il aurait reçu une balle de 9 mm qui aurait détruit la région occipitale. Il serait mort depuis environ trois jours, le corps était à moitié dévoré par les rats. Pas de sévices, aucune trace de violence sur le corps. Sauf sur le cou, où nous avons trouvé des traces de strangulation pas assez fortes pour l'étouffer. Mais l'assassin a laissé une belle empreinte de pouce. Ci-joint l'empreinte du pouce. Le jeune homme trouvé en état comateux – overdose d'ecstasy, son taux d'hématocrite serait élevé, 62 %. Dans les analyses sanguines, nous avons découvert de l'ecstasy coupé avec de l'héroïne que l'on appelle Black Bombay ou plus commodément Speed et de l'Érythropoïétine, une molécule de synthèse du type NESP. C'est une EPO de troisième génération qui s'appelle le CERA. Avec le mélange de ces deux produits, normalement, il aurait dû succomber. Actuellement, il est dans un coma profond, à son réveil, il risque d'avoir des séquelles avec des pertes de mémoire et des comportements gestuels incontrôlés ». Bon le reste du document, c'est la liste des produits découverts dans cette maison. Henri donne les papiers à Clara afin de transcrire les faits essentiels sur le tableau.

— Eh bien dites donc, quelle affaire, dit François. Cette enquête nous dépasse commissaire, c'est le service de la drogue qui doit prendre cette affaire maintenant.

— En partie François, nous, nous enquêtons sur les crimes et en ce qui concerne le dopage, on passe le bébé au service. Clara, dès que vous aurez fini avec le tableau, vous récupérez tous les documents concernant le dopage que vous envoyez à l'Union Cycliste Internationale, puis à l'AFLD et à l'OCTRIS.

— Euh… Oui… Quèsaco de ces initiales ? demande Clara.

— Ah oui, c'est vrai, vous ne connaissez pas les rouages du cyclisme. Alors, AFLD c'est : Agence Française de Lutte contre le Dopage, Bd St Germain ; OCTRIS c'est : Office Central pour la Répression du Trafic Illicite des Stupéfiants, chez nous au 36 pour Paris et à Versailles pour toute la France. C'est clair maintenant.

— Henri fait une pause attendant que Clara ait fini de noter tous ces renseignements, François en fait de même.

Ils ont tué le docteur véreux. Mais à mon avis, il doit y en avoir d'autres médecins sur le terrain et il faut les trouver.

— François, téléphone à tous les présidents de grands clubs et discrètement essaie d'avoir le nom d'un toubib qui serait fréquemment vu dans le milieu cycliste. Vous Clara, avec les coupures de presse, faites une enquête sur toutes ces courses où il y a eu des problèmes de chute bizarre. Faites aussi une recherche sur cette empreinte de pouce.

— Pendant ce temps-là, je vais voir le commandant. Ensuite, je vais aller voir le coureur qui est dans le coma à l'hôpital. Cet après-midi, je vais m'entraîner. Rendez-vous à dix-huit heures pour le briefing et après je vous libère.

9

À Paris, dans le 10ᵉ arrondissement, Rue d'Enghien, un quartier surnommé la Petite Turquie, car il y a beaucoup de Turcs dans le secteur. Il est six heures du mat, dans un entrepôt désaffecté, plus habitué à voir des rats ou des oiseaux, d'un seul coup se réveille par le bruit incessant de gens qui pénètrent dans ce sanctuaire de fin de travail, à cause des délocalisations. Des voitures se garent dans la cour, parmi les monticules de gravats d'un bâtiment en démolition. À l'éclairage des lampadaires, on aperçoit des marques publicitaires sur les véhicules. Dans la noirceur de la nuit, des ombres avancent vers une grande porte. Le couloir, éclairé simplement par les plots d'issue de secours, ne désemplit pas. Dans un bureau, une dizaine de personnes s'assoient autour d'une grande table. Cela ressemble à une réunion importante, à la vue de la gravité des visages. Un homme en tenue chic, avec un nœud papillon noir, semble être le grand responsable de cette assemblée. Il attend que les derniers arrivés se placent. À sa droite, il a posé son ordinateur portable qui envoie vers lui un halo d'une clarté blanche, le rendant très énigmatique dans cette pièce sombre. Son visage carré, avec ses cheveux blancs peignés en brosse et son nœud papillon, entouré de cette clarté blanche le rend caverneux et sinistre. Il ouvre son grand dossier jaune et commence la réunion.

— Je vous ai tous convoqués, car la situation s'aggrave. Une sorte de rébellion s'organise parmi les coureurs, on ne peut tolérer cela. Nous devons serrer la vis et calmer les récalcitrants. Nous avons dû, déjà, intervenir auprès de certains coureurs.

— Mais tout ce qui se passe en ce moment dans les pelotons, ne va-t-il pas ameuter la police ? demande l'un des participants.

— Dans la presse locale, j'ai vu que le docteur Scorsère a été abattu. Pourquoi ? demande un autre.

L'assistance se pose des questions sur tous ces meurtres qui risquent de provoquer des problèmes au sein de leur association. Ils ne pensent qu'à l'argent, la santé des coureurs ne les intéresse pas. Ce qui compte, ce sont les résultats sportifs des coureurs. Plus ils gagnent des courses et plus ils se dopent. Et plus l'argent rentre dans les caisses. Ils ne veulent pas que cela s'arrête. L'homme au nœud papillon l'a compris et tente de calmer les esprits.

— Vous avez tous raison de poser des questions, les récalcitrants doivent être matés, cela pour la bonne marche de notre association. Continuons à faire nos formations sur le dopage, recrutons de jeunes coureurs dans ces formations. C'est notre couverture. Parallèlement, continuons à faire fonctionner notre réseau de vente de nos produits dopants à l'élite. N'oublions pas que plus nous aurons des coureurs qui gagnent des épreuves, plus nous aurons des professionnels et à nous le jackpot.

— D'accord avec vous, mais le docteur, pourquoi a-t-il été tué ?

Un homme, aux yeux bouffis et le visage écarlate, habillé d'un costume tiré à quatre épingles, semblant être le patron, se lève pour bien dominer son monde, il n'avait pas encore pris la parole depuis le début de la réunion et là, il intervient d'une voix brutale.

— Bon, tout d'abord, je ne suis pas d'accord avec ces tueries, cela va attirer les flics et ce n'est pas le moment. Notre réseau se met en place tout doucement et nous ne sommes pas encore au plus haut niveau. Donc je vais vous demander de calmer le jeu et que l'on se fasse oublier. Pour l'instant, je ne sais pas qui a tué le docteur. C'est quelqu'un de notre groupe ou est-ce un règlement de comptes ? Je ne le sais pas. Le remplaçant du docteur Scorsére est le docteur Hyppolite Vérol que voici. C'est un ancien coureur amateur de première catégorie et il est docteur en exploration fonctionnelle, il est à même de le remplacer. Le docteur Vérol qui se trouve à la droite de l'homme au nœud papillon se lève afin de se faire connaître. Cheveux noirs frisés posés sur une tête malingre, des yeux noirs rapprochés collés sur un nez proéminent. L'homme est de grande stature, mais il est sec comme un coup de trique.

— Enchanté de vous connaître, répondirent en chœur, plusieurs personnes autour de la table, pendant que d'autres écrivent des notes.

— J'ai une question à vous poser, demande un autre homme son chapeau de cowboy à la main. Comment fait-on maintenant, en cas de rébellion d'un coureur ou d'une autre personne ? Et si j'ai bien compris, il ne faut plus faire de vagues ?

— Bonne question, cher collègue. De la discussion et beaucoup de diplomatie, quitte à lui donner quelque chose pour le calmer. D'après les médias, une enquête a été diligentée par la police judiciaire et il paraît qu'un commissaire hors du commun a été désigné. Donc attention !

— Cela veut dire quoi hors du commun ? demande une personne de l'assistance.

— D'après ce que j'ai entendu dire, il s'agirait d'un spécialiste du milieu cycliste. Et il paraît qu'il est efficace.

L'homme au nœud papillon ferme la séance et tout le monde se lève, chacun se retrouvant par affinité. Les discussions vont bon train, chacun allant de sa verve. Tout ce beau monde est au-dessus des lois, ils n'imaginent pas le mal qu'ils font autour d'eux, ou semblent l'ignorer, préférant l'appât du gain. Un homme se tient à l'écart, maugréant dans son coin, il ne semble pas adhérer aux décisions de l'assemblée. De corpulence moyenne, une tête ovale, petite barbe grisonnante d'un homme d'une cinquantaine d'années, fine paire de lunettes cerclées. Vêtu d'un jean et d'un polo vert, il a revêtu un coupe-vent aux couleurs d'une équipe professionnelle du cyclisme. Il décide de s'éclipser discrètement, car il a un travail urgent à faire. Il se dirige vers sa voiture, une BMW noire aux vitres teintées. Avant de démarrer, il ouvre sa boîte à gants et sort un pistolet. C'est un Glock 19 de fabrication autrichienne, il prend le silencieux, un RDS Tactical, et le fixe au bout du pistolet, puis il le glisse dans son jean. Ainsi il est fin prêt à réaliser sa mission, il se rend sur son lieu d'exécution qui est l'hôpital de Créteil dans le Val-de-Marne. Dans sa tête, il s'estime un justicier, surtout après le décès de son fils, c'était un bon coureur mais malheureusement il a écouté quelques amis et il s'est dopé. Et rendre la justice, dans ce milieu huppé du cyclisme, c'est de lutter contre cet horrible dopage. C'est vrai qu'il en profite, lui aussi, la manne est florissante. Mais les produits dangereux, non ! Ce docteur était une crapule, il n'a eu que ce qu'il mérite. C'est vrai qu'il a un peu résisté, impossible de l'étrangler, tellement il gigotait. Le Glock était à portée de la main, vite fait bien fait, le canon sur la tempe et boum. Il n'a pas le temps de réagir que sa tête explose, des bouts de cervelle se répandent sur le mur de la cave. Même le grand escogriffe n'a rien entendu et rien vu. C'est un benêt ce mec-là. Maintenant, il faut que je fasse la peau, à ce jeune comateux, s'il se réveille, il risque de me dénoncer. Il n'en est pas question, je n'ai pas fini mon travail.

Il arrive à l'hôpital et pénètre dans le grand hall, il prend l'ascenseur. « Troisième étage chambre 322 », se dit-il. Il touche sa veste, il sent son Glock. Et tranquillement, il se dirige vers la chambre. Au fond du couloir, il voit un homme en pleine discussion avec une infirmière et un policier. « Ils sont occupés, c'est bon », se dit-il. Il ouvre la porte, le malade est seul, il a des tuyaux un peu partout sur le corps relié, à une machine qui enregistre les données, toutes les secondes un bip retentit. Il s'approche doucement, le jeune coureur est encore dans le coma. Il sort son arme, il enlève la sécurité et vérifie que le silencieux est bien vissé. Il pointe l'arme vers la tête du malade. Son index appuie doucement sur la gâchette. Il va tirer, l'abattre comme un chien.

Au moment où il va pour appuyer sur la gâchette, la porte s'ouvre.

Henri, voit cet homme le pistolet à la main visant le malade, il pousse un cri. Le policier qui l'accompagne sort rapidement son arme de service. Des coups de feu retentissent dans l'hôpital, cela sent la poudre. Un homme s'écroule, il se touche l'omoplate et hurle de douleur. Henri d'un coup de pied, balance l'arme à l'autre bout de la chambre. Le policier d'un geste professionnel sort ses menottes et attache le poignet valide au radiateur de la chambre. Une infirmière entre en catastrophe dans la pièce et reste plantée à regarder la scène. Henri réagissant rapidement prend la situation en main.

— Madame s'il vous plaît, ramenez-moi des gants jetables et un sachet plastique, puis appelez un médecin pour cet homme. Brigadier, appelez la criminelle.

Chacun vaquant à ses préoccupations, Henri en profite pour regarder le blessé, il est adossé au mur, le bras accroché au radiateur. L'homme est dans les pommes, sa veste sportive est tachée de sang. Henri fouille dans ses poches et trouve ses papiers qu'ils posent sur la table avec des clés de voiture et de l'argent. L'infirmière arrive avec un brancardier et la civière, le policier détache l'homme du radiateur et aide l'agent hospitalier à le porter sur le brancard. Henri met les gants jetables et glisse le pistolet dans un sac plastique, et toutes les affaires du blessé. Le tout est posé sur la table. Pendant ce temps-là, le malade n'a pas bronché, il est toujours dans le coma. Tout ce qui se passe autour de lui le laisse indifférent.

Un médecin arrive et ausculte le blessé, pendant ce temps-là, les inspecteurs de la « crime » ont commencé leur travail.

— Commissaire principal, votre blessé à la clavicule cassée, je crois que la balle a fait beaucoup de dégâts, nous verrons ça à la radio. Il faut obligatoirement l'opérer.

— Bien merci, docteur. Et vous inspecteur, cela avance ?

— C'est vite fait commissaire divisionnaire, on prend le pistolet et les papiers, puis on prend ses empreintes digitales. Et basta, on se retrouve au 36.

— Bien, j'attends votre rapport. Brigadier, vous restez auprès du blessé, ne vous inquiétez pas je m'occupe de vous faire relever. Madame, pourriez-vous me trouver la chambre d'un coureur cycliste qui serait rentré ce dimanche vers les 16 heures ?

D'un seul coup, la chambre se vide, le malade se retrouve seul. Henri suit l'infirmière vers son bureau. Ayant eu le renseignement qu'il voulait, il se rend vers la chambre du coureur. Elle contient deux lits, un seul est occupé par le coureur de Corbeil-Essonnes, il s'est endormi, il a l'épaule droite plâtrée et suspendue à une poulie et il a un bandage autour de la tête. Henri en profite pour regarder sa feuille médicale accrochée au lit. Il voit son nom, Hyppolyte Aznar. « Origine espagnole », marmonne entre ses lèvres Henri. Le malade sentant une présence se réveille, les yeux à moitié englués, il aperçoit Henri. Il en est étonné, pourquoi vient-il le voir ? Henri prend une chaise et s'assoit auprès de lui.

— Alors cher collègue, comment ça va, depuis dimanche ? demande Henri.

— Bof, cela pourrait aller mieux, ils ne m'ont pas loupé les salauds, j'en ai pour trois mois d'arrêt. Mais comment se fait-il que tu viens me voir ? On se connaît à peine.

— Je me trouvais dans les locaux et je me suis dit que je pourrais te voir. Pourquoi tu dis « ils ne m'ont pas loupé », tu penses qu'un coureur t'a poussé dans le fossé ?

— Oui, cela a été voulu, les salauds, trois mois sans faire de vélo. J'ai la clavicule cassée avec pertes osseuses, un traumatisme crânien et j'ai des contusions sur tout le corps.

— Mais pourquoi t'ont-ils poussé dans le fossé ? demande Henri.

Le malade est étonné, il regarde Henri. Pourquoi toutes ces questions ? Il ne comprend pas. Son regard le scrute, ses yeux sont inquisiteurs. Et d'une voix ferme, il l'apostrophe.

— Tu es un flic ou quoi pour me poser ces questions ? demande-t-il d'une voie nerveuse.

Henri réfléchit à toute vitesse, doit-il se dévoiler ? Si j'annonce que je suis commissaire de police, va-t-il se bloquer ? « Il faut que je m'en fasse un allié, le mettre au courant de la situation et le mettre en confiance, cela va peut-être me servir, car il connaît beaucoup de choses sur le dopage ».

— Écoute, Hyppolyte, en effet, je suis commissaire divisionnaire et je suis chargé de l'enquête sur les crimes qui ont eu lieu dans le peloton. Et j'ai besoin de ton aide, je crois que toute cette affaire tourne autour du dopage.

— Vous m'avez bien eu, dit le coureur, en faisant sa tête de bouteur.

— Mais je suis aussi un coureur cycliste, les circonstances ont voulu que je sois chargé de cette enquête. Et là-dessus, le coureur s'enferme dans un complet mutisme, le regard dans le vague, fâché à mort. Henri lui parle avec douceur, sortant tout son tact de diplomatie. Il se met à lui raconter son enquête. Au fur et mesure qu'il parle, Hyppolyte se déride, son visage devient plus serein. Henri comprend qu'il a gagné la partie et il commence à lui poser des questions. Au bout d'un moment, ils sont devenus de bons amis.

— Bien Hyppolyte, repose-toi bien maintenant, demain mes adjoints viendront te voir et tu leur donnes tout ce que tu connais. Je vais aussi te mettre sous surveillance, on ne sait jamais.

— Salut Henri, à demain lui répond aimablement le coureur.

Henri quitte la chambre, subrepticement, il le regarde à travers la vitre et il le voit dodeliner de la tête et d'un seul coup, il s'endort. « C'est mieux ainsi », se dit-il, en déambulant dans les longs couloirs de l'hôpital. En roulant, il téléphone à Clara, lui demandant de mettre un garde devant la chambre du coureur. Il regarde sa montre, pas loin de midi, le temps d'arriver au parking du 36, il sera midi passé. « Bon en arrivant je vais d'abord manger », émet-il. Le repas terminé, il se rend à son bureau. Il se met à ranger sa table qui est embarrassée de divers documents. Il reste plus d'une heure au téléphone, parlant avec quelques amis médecins qui travaillent dans le milieu pharmaceutique. Il prend les journaux que Clara a posés sur son bureau et il se met à les éplucher. Il trouve quelques entrefilets sur les accidents de coureurs dans des courses, mais rien d'important. Par contre dans l'Équipe, un journaliste bien au courant des questions du cyclisme et surtout sur le dopage, sort une page complète. Tout est détaillé, le meurtre de Combs-la-Ville, du docteur Scorsèze et du coureur trouvé entre la vie et la mort. Une fine analyse des réseaux du dopage est faite avec une authenticité réelle. Et chose surprenante, il parle d'un commissaire chargé de l'enquête, qui serait un coureur cycliste. Mais aucun nom n'est dévoilé. Henri pousse un ouf de satisfaction. « Mais comment a-t-il eu tous ces renseignements » ? pense Henri. Il cherche son nom : Albin Salvage. Ce journaliste est connu, on le voit sur toutes les grandes épreuves cyclistes et surtout sur le tour de France. Il parle avec tous les coureurs et les présidents de club. Il est connu comme le loup blanc dans le milieu du vélo. N'ayant pas peur de dévoiler les méfaits de la drogue sur le peloton. « Il faut que je le voie », se dit Henri. Il prend le téléphone et appelle le journal. Après une voix robotique, qui chaque fois, lui demande d'appuyer sur un numéro, enfin, il réussit à avoir une charmante voix au bout du fil.

— Que désirez-vous, monsieur ?

— Je voudrais parler à Monsieur Albin Salvage, s'il vous plaît.

— Cela n'est pas possible, Monsieur, je ne peux pas vous le passer comme cela par téléphone.

— Et pourquoi ?

— Il ne reçoit que sur rendez-vous et actuellement pas avant quinze jours.

— Bien, dites-lui qu'il s'agit du commissaire divisionnaire Henri Navarette et que j'ai besoin de lui parler. C'est urgent, dit le commissaire en élevant le ton.

— Je vais essayer, Monsieur.

— Si cela n'est pas possible, il recevra une convocation officielle du 36, quai des Orfèvres. L'attente paraît interminable pour Henri qui n'aime pas qu'on le mette ainsi en pause. L'affaire est trop sérieuse pour qu'une simple secrétaire se permette de lui faire un barrage aussi fort. Une voix forte explose dans le téléphone, lui blessant le tympan. Henri d'une voix sèche répond à son interlocuteur.

— Monsieur Salvage, je suis le commissaire divisionnaire Henri Navarette, je suis chargé de l'enquête concernant les meurtres ayant eu lieu dans le milieu cycliste. J'ai vu votre article dans le journal d'aujourd'hui et j'aimerais vous rencontrer pour en parler.

— Excusez-moi, commissaire, d'être aussi brutal, mais je reçois tellement de coups de téléphone bidon que je suis obligé de me blinder de la sorte. Que me voulez-vous ?

— Vous rencontrez et parlez de votre article. À l'endroit que vous souhaitez.

— J'aimerais un endroit neutre, pas au journal ni au 36. Cela vous dit de faire une trentaine de kilomètres ?

— Pas de problème, où ça ?

— Vous connaissez le Golf de Val grand ?

— À Bondoufle, mais bien sûr, j'ai couvert plusieurs fois des concours de golf là-bas. Dans combien de temps ?

Henri regarde sa montre, il est dix-sept heures, une heure pour y aller, bon je vais lui dire pour dix-huit heures.

— Dix-huit heures, cela vous va ?

— Pas de problème commissaire, j'y serai. À tout à l'heure.

Henri entend le clic du téléphone et ensuite la tonalité en continu. Le journaliste a raccroché. Henri se dit que d'un seul coup, il avait changé, il s'était radouci. Ainsi la discussion sera plus facile. Il appelle ses capitaines et leur raconte l'épisode du journaliste.

— Bon, rendez-vous demain, à huit heures, on fait le point de notre enquête et on avance.

Une heure après, le restaurant du golf se présente devant le museau tout fumant de sa voiture, il se gare face à l'entrée. En montant les escaliers, il se trouve nez à nez avec le patron des lieux avec ses cheveux à la Richard Gère. L'accueil est chaleureux et ils se dirigent allègrement vers le bar. Le patron s'arrête auprès d'un homme accoudé au comptoir et il lui parle brièvement.

— Monsieur Salvage, je vous présente le commissaire divisionnaire Henri Navarette, c'est un habitué des lieux, alors prenez-en soin.

L'homme est grand, il porte une épaisse gabardine et a vissé sur la tête un chapeau de style cowboy. Une figure aimable, longiligne, une voix douce et harmonieuse. Tout le contraire du contact houleux au téléphone de l'après-midi.

— Alors, c'est vous ce fameux commissaire que l'on m'a décrit comme un bon policier et qui est en plus coureur cycliste.

— Eh oui, c'est moi, coureur et policier, ce n'est pas commun, répond Henri.

— Vous avez vu que je n'ai pas mis votre nom et je n'ai même pas dit que vous étiez coureur cycliste dans mon article, attaque derechef le journaliste.

— Oui et je vous en remercie, car pour l'instant je veux rester incognito dans le milieu cycliste. Allons nous asseoir, nous serons mieux.

Ils s'installèrent dans un salon vide.

— Aujourd'hui, c'est un jour calme, il y a peu de monde, comme cela nous sera plus à l'aise pour discuter, émet Henri. Il commence à lui expliquer les grandes lignes de son enquête, en évitant de trop en dire. Chaque fois qu'une femme arrive, il la regarde furtivement puis il continue de parler, la mine déçue. Le journaliste l'écoute religieusement, il semble bien assimiler ce que lui dit Henri. Vincent arrive, toujours un large sourire sur ses lèvres. C'est vrai que sa femme attend un heureux évènement. Il pose délicatement les deux coupes de champagne accompagnées d'une assiette de fritures. « De la part de la direction », dit-il.

Les deux hommes dégustent ce délicieux breuvage, les petites bulles jaunes rafraîchissent leurs gosiers. Le journaliste a aussi son idée sur les meurtres dans le milieu cycliste et en parle à Henri.

— Écoutez, commissaire, j'ai bien suivi votre résumé sur votre enquête. Moi, je vois deux choses. Un, les deux coureurs ont été tués pour la même chose, je pense, au dopage. Le meurtrier c'est le docteur, ça, c'est sûr. Deux, le docteur a été tué pour d'autres raisons qui n'ont rien à voir avec le dopage. Alors, pourquoi ? Jalousie, vengeance ou règlement de comptes. À vous de faire la différence sur ces trois meurtres.

Vous devez diligenter une enquête sur ces deux coureurs et le dopage, puis une deuxième enquête sur l'entourage du docteur.

Henri écoute avec attention le journaliste, se disant qu'il a sûrement raison. En effet, pourquoi tuer un docteur qui participe au système généralisé du dopage ? C'est comme perdre la poule aux œufs d'or. C'est vrai aussi que le meurtre de ce docteur n'est pas conforme aux deux premiers morts. On a voulu camoufler les meurtres des cyclistes, en accident ou en suicide, alors que le docteur a été froidement abattu d'une balle de 9 mm. Cela ressemble à un avertissement pour quelqu'un, mais pour qui ? Cela fait beaucoup de questions. Le journaliste semble savoir beaucoup de choses, il faut que je le fasse parler.

— Et pour ces deux coureurs assassinés, que savez-vous ?

— Qu'ils étaient de bons coureurs. Normalement l'année prochaine, ils étaient recrutés dans des équipes professionnelles. Nous savons qu'il y a des doutes de dopage sur eux, mais rien ne le prouve non plus. Leur montée en catégorie supérieure a été rapide.

— Et le docteur, quel est son rôle dans tout cela ? demande Henri.

— On l'a vu souvent sur les champs de courses, soi-disant qu'il doperait des chevaux. Mais là aussi pas de preuve. Deux ou trois grands clubs parisiens l'ont recruté, dont les clubs des coureurs assassinés. C'est un docteur sulfureux qui traîne des casseroles derrière lui.

— Et que savez-vous sur le système généralisé du dopage ?

— Comme beaucoup de monde, quand on voit certains coureurs gagner facilement, on est étonné. On se pose des questions. Combien de fois, après que les coureurs aient quitté leur hôtel, je n'ai pas trouvé dans les poubelles des seringues ou des poches vides. Je peux vous dire que tous les coureurs que vous m'avez cités sont tous suspectés de se doper. Et le docteur était proche de tous les milieux cyclistes.

— Mais le contrôle antidopage que fait-il ?

— Vous savez, ils n'ont pas de grands moyens, ils préfèrent faire leur contrôle sur les grandes courses organisées par l'U.C.I. D'ailleurs, vous avez vu leur président, il a démissionné. Alors, les clubs parisiens, bof… Henri est déçu, il pense qu'avec ce journaliste, il aurait eu un peu plus d'informations. À moins qu'il ne souhaite pas en dire plus, ça, c'est possible. Où il a raison, c'est sur le meurtre du docteur qui n'a rien à voir avec ceux des coureurs. Mais quelque chose le turlupine, j'ai besoin de savoir et il faut qu'il réponde.

— Une dernière question, Monsieur Salvage, comment avez-vous su que j'enquêtais sur ces meurtres ?

— Ah là, je ne peux rien vous dire, je n'ai pas à vous dire d'où viennent mes informations. Questions de déontologie. Mais par contre, je me suis renseigné sur vous. Pourquoi avez-vous arrêté le vélo pendant deux ans ?

— Il s'est passé des choses importantes dans ma vie qui m'ont bouleversée.

— Oui, c'est vrai, j'ai cru comprendre que votre adjoint avait été tué devant vous.

— Oui, un truand l'a froidement descendu devant moi, ç'a été atroce de voir ça. Cela faisait quatre ans que l'on travaillait ensemble, nous étions devenus des amis.

— Vous parliez de bouleversements au pluriel, qu'avez-vous eu de plus encore.

Henri est ému de parler de ses souvenirs, mais il arrive à se contrôler un peu plus facilement qu'avant. Comme si ces évènements ne sont plus que de vagues souvenirs. C'est avec un peu d'émotion quand même dans la voix qu'il commence à parler de sa femme.

— Deux mois après ce meurtre, c'est ma femme que je perds dans un accident de voiture.

— Oh ! pardon, je ne pensais pas à un si grave problème, je ne tiens pas à entrer dans votre vie privée.

— Ce n'est pas grave, il faut que j'en parle, cela me fait du bien. Un chauffard qui avait un peu trop bu est entré de plein fouet sur sa voiture. Le pire c'est qu'on avait rendez-vous pour aller au cinéma, je l'attendais sur le parking de Carré Sénart quand on m'a appelé sur mon portable. Quand le gendarme m'a annoncé la nouvelle, ce fut un choc. L'accident avait eu lieu à cinq kilomètres de là, je m'y suis rendu rapidement. Quand j'y suis arrivé, elle a eu le temps de me regarder et soudain elle est partie… C'est comme si elle m'avait attendu avant de mourir. Et cette image m'a hanté pendant plusieurs mois. L'émotion est trop forte, Henri se renferme dans un mutisme qui dure quelques minutes. Le journaliste est gêné, il ne pensait pas, qu'en posant ces questions, il allait entrer dans sa vie privée. Il laisse passer un petit moment. Henri finit son verre de champagne, le journaliste en profite pour commander une autre tournée. À l'arrivée de Vincent, Henri a récupéré de son moment de faiblesse, son regard a repris un peu plus de force, un peu plus de sérénité, il regarde le journaliste et continue la discussion comme si de rien ne s'était passé.

— Ne faites pas attention à mon moment de faiblesse, mais ces deux moments forts de ma vie m'ont bouleversé. Mes supérieurs voulaient que je voie un psy, mais j'ai toujours refusé. Je voulais remonter la pente, seul, par mes propres moyens. Et maintenant, cela va mieux puisque j'ai réussi à vous en parler.

— Excusez ma curiosité, je ne le savais pas. J'ai vu que vous vous débrouillez bien à vélo, dimanche dernier, vous avez fini à la sixième place.

— Oui, c'est vrai que cette côte dans le parc des Sœurs m'était favorable. D'ailleurs, un de mes amis cyclistes a été bousculé dans cette course, il se trouve actuellement à l'hôpital de Créteil. Je pense qu'il a été poussé exprès dans le fossé.

— Encore quelque chose qui concerne votre enquête, mais pourquoi vous dites que c'est exprès ?

— Eh bien ce coureur sait beaucoup de choses et il parle beaucoup aussi. Je pense qu'on a voulu lui faire peur pour qu'il se taise.

— Et cette chute où le coureur est mort, vous en pensez quoi, commissaire ?

— Je ne sais pas exactement, au départ j'ai eu l'impression que l'on voulait simplement faire peur au coureur Pirot, mais ce muret providentiel, ce ballot de paille retiré… Je ne sais pas… J'ai des doutes.

— Sacrée enquête que vous avez sur les bras, si j'apprends quelque chose, je ne vous oublierai pas. Maintenant, je dois y aller. Le journaliste se lève prestement et lui laisse sa carte de visite. Ils se saluent amicalement et il s'en va prestement.

Henri reste sur sa faim, il est pensif. La discussion n'a pas donné ce qu'il voulait, il n'est pas plus avancé qu'avant, le journaliste a été très avare en informations. Le commissaire est tellement absorbé par ses pensées, qu'il ne fait pas attention à ce qui se passe autour de lui, quand une voix agréable lui parle, un léger courant d'air lui envoie un doux parfum. Il sent une présence, la belle Latine est-elle là ? Il se lève maladroitement et ils se retrouvent nez à nez.

— Bonsoir, Henri, ça va ? demande-t-elle de sa voix suave aux intonations latines, je ne te dérange pas.

— Bonsoir, Carmen, oui cela va très bien, tu ne me déranges pas du tout, allez assoit-toi.

— Cela fait un moment que je suis là à te regarder, j'ai cru comprendre que tu étais en plein travail avec ce journaliste.

— Ah ! Je vois que Vincent t'a informée. C'est un journaliste du journal l'Équipe ? Il a écrit un article sur mon enquête et je voulais savoir s'il avait des informations à me donner. Il voulait que l'on se rencontre dans un endroit discret.

— Et donc tu lui as proposé de venir ici, dit-elle d'un air malicieux.

Carmen est charmante dans sa longue robe rouge, garnie de fleurs, qui lui tombe sur les chevilles, cela lui colle au corps comme une deuxième peau. Henri regarde sa petite poitrine bien garnie, le tissu est tendu prêt à craquer. Ses yeux d'une profondeur exquise, fixent amoureusement Henri, elle semble vouloir lui poser une question. Mais elle n'ose pas. Ils ne sont pas encore assez intimes pour oser pénétrer dans leurs vies privées respectives. Henri est sous le charme de sa belle dulcinée. Incidemment, leurs deux corps se touchent et il sent cette douceur sur sa cuisse, cette chaleur communicative lui donne des frissons. Carmen voulant estomper cette gêne passagère est la première à réagir.

— Et si on allait manger, j'ai faim, moi.

— Tu as raison, allons-y.

10

Il est déjà sept heures et le jour commence à se lever. À l'Est les nuages légèrement colorés de rouge, cachent à moitié le soleil, ils ne sont pas très épais, cela va être une journée sans pluie. Henri accoudé à sa fenêtre, réfléchi à l'enquête. Cette discussion avec le journaliste n'a pas été à la hauteur de ce qu'il espérait, maintenant, il doit changer sa méthode de travail. Un point où il a raison, c'est que l'enquête doit se diriger dans deux directions opposées. Le docteur assassin a été tué par quelqu'un qui n'a rien à voir avec le système généralisé du dopage, même s'il est lié au milieu du cyclisme. C'est autre chose. Il faut que je voie cela avec Clara et François, nous devons réétudier les comptes rendus, revoir le tableau, réorienter nos enquêtes.

D'un seul coup, il se revoit avec sa dulcinée qu'il a accompagnée hier soir jusqu'à son domicile. Après une grande effusion torride devant son appartement où leurs lèvres en feu n'arrivaient pas à se décoller, Henri est rentré chez lui, tout retourné. Un grand amour a pris corps en lui. Que doit-il faire maintenant ? Conclure ? Il en avait envie et elle aussi sûrement. « Non, je ne peux pas, pas en ce moment, d'abord finissons l'enquête. On ne sait jamais, je ne tiens pas à la mettre en danger. Ces gens sont dangereux et ils pourraient se venger sur elle pour me faire peur », pense fortement Henri. Il prend sa voiture et part à fond de train au 36 Quai des Orfèvres. Il fait beau, parfait pour son entraînement de l'après-midi qui doit être intensif, car la course de dimanche va être dure. Il s'agit d'une épreuve en ligne, la « Ronde Bondoufloise ». La course est organisée par son ami Jean R. Cela fait plusieurs fois qu'il lui demande de venir à son club, mais Henri repousse toujours sa décision. Peut-être que cela sera pour l'année prochaine. Il aime bien Jean R qui l'a tuyauté sur quelques coureurs qui se dopent.

En réfléchissant bien, Henri se dit qu'il va falloir demander au commandant Pulvar de faire protéger les courses à venir, car on ne sait jamais... Il est plus de huit heures quand il arrive à son bureau, ses adjoints l'attendent avec un bon café. Assis dans son fauteuil, Henri relate sa discussion avec le journaliste. Il explique sa nouvelle stratégie pour la continuité de l'enquête. François va à son bureau et revient avec un dossier. Clara toujours aussi fraîche se met auprès du tableau, un rayon de soleil l'éclaire, la rendant désirable. Henri à l'instant pense à sa dulcinée. Pendant une heure, avec ses lieutenants ils épluchent tous les documents, analysent tous les écrits du tableau. Pour l'instant rien de concret, ne corrobore l'idée du journaliste, si ce n'est la façon dont a été abattu le docteur. Qui est ce tueur ? Cette balle de 9 mm qu'il a reçue en pleine tête, c'est une action digne de grands truands. Ce tueur qui se promène dans la nature avec une arme de 9 mm, prêt à recommencer sûrement. Henri se tourne vers Clara et François, dans son regard, il y a comme une volonté, une fermeté d'avancer dans l'enquête.

— Bon, tous les deux vous allez me faire des recherches sur ce docteur abattu. Cherchez n'importe quoi, ses amis, sa famille. Il faut trouver celui qui l'a descendu, parallèlement continuons notre enquête sur les coureurs et le dopage. Cela va être long, mais il faut qu'on décante toute cette affaire.

— Cela va être compliqué chef, il y a beaucoup de ramifications et cette enquête qui va dans deux directions, c'est nouveau cela, émet François.

— Oui, je sais, mais on doit faire avec cela. Bon maintenant les épreuves cyclistes, il va falloir les protéger, car j'ai peur d'une intervention musclée à mon encontre. Cette après-midi, vous allez me suivre à mon entraînement.

— Pas à vélo, chef ? demande François inquiet.

— Eh, pourquoi pas, cela ne peut que vous faire du bien, faire un peu de sport c'est très bon, répond en riant le commissaire.

Les deux policiers n'ont pas le sourire, ils regardent leur chef avec étonnement, ils se demandent s'il blague. Henri leur enlève le doute rapidement.

— Non, ne vous inquiétez pas, ce sera en voiture pour vous. Prenez l'appareil à photos, vos portables et le gyrophare. Pour dimanche, je vais demander que la course soit protégée par des motards de la police nationale. Et vous, comme la dernière fois, vous êtes sur le circuit, mais en voiture cette fois-ci. Vous serez en relation avec la marée chaussée. Cela vous va ? Bon au boulot maintenant. Et rendez-vous à 13 heures 30 au parking des Trois Parts à Bondoufle.

Rapidement, les enquêteurs se mettent au travail. Henri appelle le commandant Pulvar pour lui expliquer la situation. Le commandant décide de prendre en main lui-même la protection de l'épreuve de dimanche, ce qui arrange en quelque sorte Henri. Il en profite pour appeler Jean, le président du club de Bondoufle.

— Salut, Jean, ça va ? Ce coup de téléphone pour t'annoncer mon inscription à ta course.

— Oui, j'ai vu, ton président m'a envoyé le bulletin d'inscription. Tu es en forme en ce moment, je t'ai vu à Ablon, dans la côte tu as fait un festival. Quand est-ce que tu viens chez nous ?

— Peut-être l'année prochaine Jean. Ah ! Avant que j'oublie, ta course sera protégée par une dizaine de motards de la police nationale.

— Ah ! Et pourquoi ? J'espère qu'ils ne vont pas me foutre le souk dans le peloton.

— Ne t'inquiète pas, ils sont habitués aux courses cyclistes. C'est pour me protéger, car l'enquête devient dangereuse.

— Bon d'accord, à dimanche alors. Henri raccroche, il est content de lui. Les choses se mettent en place tranquillement, il rejoint le bureau de ses adjoints. Ils sont affairés sur leur ordinateur, ils ont le teint blafard par l'éclairage de leur écran, un carnet à la main, ils le remplissent au fur et à mesure de leurs recherches. Bien, je vois que cela avance, les feuilles de vos carnets sont bien remplies. Maintenant, vous allez poser vos petits crayons et fermer vos ordis. Je vous invite à venir manger à mon petit restaurant.

— Pas de problème, chef, aujourd'hui je suis libre, et toi François ? demande Clara.

— Pas de problème, je ne vais pas refuser une invitation de mon chef, cela ne se fait pas. Je n'ai pas d'enfant, pas de femme, je suis libre comme l'air.

— Et alors, moi non plus je ne suis pas marié, enfin pas encore, donc j'ai quartier libre.

— Ah ! et pour combien de temps et à quand le mariage ? demande François.

— Oh ! mais dis donc, tu es un peu curieux, non ?

— Bon allez, allons-y et amenez vos affaires, après le repas nous partirons directement à Bondoufle.

Henri se trouve dans un peloton d'une vingtaine de cyclistes, Bondoufle s'étant jointe avec Grigny. Ils ont décidé de faire le circuit de la Ronde Bondoufloise, cent trente-cinq kilomètres à avaler. Avec ces petits jeunes, autant dire qu'il va falloir s'accrocher. Henri se trouve à l'aise, prenant par moments des relais bien appuyés. Il regarde les jeunes Irlandais qui pédalent dans la bonne humeur, avec facilité. « Se droguent-ils vraiment ? » se demande Henri. Il les regarde d'un peu plus près. « Leurs pédalages est très faciles, ils moulinent sans effort », pense-t-il ! Il se retourne et voit au loin la voiture de ses adjoints. Ils ont pratiquement fait une cinquantaine de kilomètres et tout se passe comme dans le meilleur du monde. Jean R. est là aussi et ils ont longuement discuté des coureurs incriminés dans le meurtre de Combs-La-Ville, du dopage et aussi du docteur Scorsèse.

Henri se dit que c'est le moment d'aller voir les petits jeunes irlandais. En quelques coups de pédale, il arrive à leur hauteur. Ils sont en train de blaguer, s'amusant comme de jeunes insouciants. Ils ont dix-sept ans, l'âge de profiter de la vie. Des visages juvéniles et boutonneux, une jeunesse à fleur de peau, des enfants fragiles que des adultes pour des raisons financières vont détruire en les dopants. « C'est une honte », pense Henri.

— Alors, les jeunes, en pleine forme ?

— Yes, I not parler... beaucoup french, lui répond l'irlandais.

Il a parlé dans un mauvais français, Henri lui fait signe de la main qu'ils sont en forme et ils lui répondent en montrant leur bidon, ponctué par des mots anglais « good, good ». Henri n'insiste pas. Il se remet à l'arrière du peloton, laissant aux autres le soin de mener. Tout d'un coup, il entend un bruit de moteur. Cela pétarade fort. « Le même bruit que la dernière fois », marmonne Henri. Il n'a pas le temps de se retourner que la voiture double les cyclistes et, arrivée devant le peloton, elle se rabat brutalement en freinant à mort. Les deux premiers coureurs percutent de plein fouet le véhicule. Tout le reste du peloton se retrouve à terre. Henri zigzague en appuyant avec force sur ses poignées de frein. Avant de tomber, il a le temps d'apercevoir la voiture des policiers foncés derrière le fugitif. Clara a le téléphone à l'oreille et François a posé sur le toit le gyrophare. Henri atterrit dans le fossé et tombe sur un cycliste. Il se relève péniblement, il a la cuisse droite qui lui fait mal et il a le bras en sang. Les vélos sont éparpillés sur la route, des cyclistes sont assis sur le bitume et se plaignent de douleurs. Henri demande à tout le monde de rester calme, que les pompiers ont été appelés. Des voitures se sont arrêtées en plein milieu de la route, protégeant les coureurs avec leurs warnings allumés.

Henri regarde les dégâts occasionnés par le chauffard. Les deux coureurs qui ont tapé dans le véhicule sont allongés sur le sol, ils sont à moitié dans le cirage, le visage ensanglanté. Les deux présidents de club, présents à cet entraînement, calment les coureurs et ramassent les vélos qu'ils posent sur le côté de la route. Au loin, on entend la sirène des pompiers. L'instant d'après, deux voitures rouges se garent auprès des coureurs inconscients. Les autres coureurs se font soigner à même le bitume. Le médecin regarde la cuisse droite d'Henry qui est toute bleue et gonflée, son bras droit est égratigné. Le médecin lui masse la cuisse avec une pommade qui sent le camphre puis il lui désinfecte le bras qui devient d'une couleur ocre avec le produit. En fait de compte, le problème de la cuisse, c'est tombé sur la pédale d'un vélo. François et Clara arrivent tout affolés de voir cette hécatombe de vélos et de coureurs au sol. D'après les médecins, les deux coureurs auraient divers traumatismes, dont un aurait une fracture du crâne. Pour le reste, ce ne sont que des petits bobos.

— Alors, chef, ça va. Pas de casse. Vous n'avez rien de grave ?

— Ne vous inquiétez pas, je n'ai rien de cassé, quelques égratignures et c'est tout. Alors, et cette voiture ?

— C'est la même voiture que la dernière fois, la Porsche de Trouboul, quand il nous a vus il est parti à fond de train. On l'a perdu de vue dans Milly-la-Forêt, répond François. Mais pourquoi a-t-il fait cela ? Il vient de se découvrir, maintenant on va pouvoir l'appréhender. Et en plus, Clara qui vous prenait en photo, a tout filmé de la chute, le choc de la voiture contre les cyclistes, le véhicule qui fuyait, la totale quoi.

— Non, cela n'a pas de sens, pourquoi faire ce cinéma, c'est un jeu qu'il nous fait ? C'est quand même grave, deux cyclistes grièvement blessés. Qui était visé ? Ces deux cyclistes ? Moi ? dit Henri énervé et en colère.

Les cyclistes sont étonnés de voir l'un des leurs, parler avec les policiers, surtout d'avoir entendu un des policiers l'appeler chef. Jean R. vient voir Henri.

— Eh bien, dit donc Henri, cela devient dangereux de rouler avec toi, émet son ami en riant.

— Oui, tu as raison, le temps de l'enquête, je roulerai tout seul maintenant. Bon que fait-on maintenant ? demande Henri les nerfs à fleur de peau.

— Il y a quatre coureurs qui vont à l'hôpital, les autres continuent l'entraînement. Dimanche, il y a une course, et la plupart des cyclistes tiennent à la faire, dont toi aussi, non.

— Oui, c'est vrai. Bon, François, Clara ont continue, ordonne Henri en se tournant vers ses adjoints.

Et la quinzaine de cyclistes restants enfourchent leur petite reine. Au bout d'une demi-heure, les douleurs s'estompent et c'est avec frénésie que tout le monde accélère l'allure. En très peu de temps, ils arrivent à destination. L'émotion se voit sur les visages, ils n'ont qu'une hâte, c'est de rentrer chez eux.

Henri demande à ses adjoints de passer au bureau et de préparer la réunion de demain. C'est en boitant qu'il se rend à son domicile pour se soigner. « Un bon bain d'eau brûlante, un bon massage sur ma cuisse et hop au lit », pense Henri. La nuit est agitée, les douleurs à la cuisse et au bras l'empêchent de dormir. Il tourne d'un côté et de l'autre dans le lit, il pense à l'enquête et à cet accident à l'entraînement. On doit sûrement approcher du but pour qu'ils essaient de m'éliminer ou de me faire peur, pense Henri. Mais nous approchons de quoi ? pense Henri. Henri ne voit rien qui l'oriente sur la voie des assassins ou des responsables du dopage. Quelque chose lui échappe encore, mais quoi ?

À six heures trente, il se réveille. Il a la tête des mauvais jours. La douche est prise rapidement, car il a mal partout. Le petit déjeuner est bâclé. Bref, le commissaire n'est pas dans un bon jour. Il sort de chez lui en jurant. « C'est un jour de merde et en plus, il pleut », se dit-il en maugréant. Il s'assoit péniblement dans sa voiture, sa cuisse lui fait très mal, et il part en trombe. Ce qui est mortel, en région parisienne, c'est que dès qu'il pleut, il y a des embouteillages. Et c'est le cas sur l'autoroute A6 où les voitures sont à l'arrêt. À la radio, ils annoncent des accidents et des embouteillages un peu partout. Henri peste contre tout. Contre la pluie, les embouteillages et ses douleurs qui se ravivent. Même la radio l'énerve, le commentateur qui habituellement, il l'aime bien, aujourd'hui l'énerve. Il ronge son frein dans ce dédale de voitures, il change d'onde et il se retrouve sur radio bleue, la musique lui plaît. Trenet, avec « la mer » le calme et « Aline » de Christophe l'optimise, il se prend même à chanter. « Et j'ai crié, crié, Aline pour qu'elle revienne ». Une heure après, il arrive à son bureau. Clara l'attend avec son habituel café. Son humeur ne s'est toujours pas améliorée et c'est sèchement et du bout des lèvres qu'il la remercie.

Clara nullement désappointée par l'attitude de son chef, retourne à son bureau et dit à François.

— On va passer une mauvaise journée, le commissaire n'est pas de bonne humeur. François va pour répondre, quand le téléphone sonne, Clara lui fait signe que c'est le patron. Elle décroche, puis elle repose le combiné et dit à François « le commissaire nous attend ».

Dans le bureau, l'ambiance est lourde, le commissaire à la tête des mauvais jours. Par moments, il se passe la main sur la cuisse droite. Clara, voulant améliorer l'atmosphère, lui demande comment cela allait, la réponse du commissaire est brutale.

— Cela va très bien. Bon, où en êtes-vous sur ce docteur ? Clara qui se trouve auprès du tableau lui répond aussi sec.

— Comme vous le voyez sur ce tableau, j'ai rajouté les noms de personnes de son entourage.

— Comme d'habitude, vous avez fait une fiche de chaque personne, demande sèchement le commissaire.

— Oui, chef, répond Clara, excédée.

Pendant qu'elle a la tête baissée sur ses fiches, Henri termine sa tasse de café qu'il pose bruyamment sur son bureau. Imperturbable, Clara commence à énumérer l'état civil d'un homme. Elle est interrompue par la sonnerie du téléphone. Henri décroche le combiné et d'une voix ferme répond :

— Bonjour commandant, oui cela va mieux, la chute n'est plus qu'un mauvais souvenir. Comment... Rien de grave, la cuisse droite un peu douloureuse à cause d'un pédalier, mais ça va. Pendant que je vous ai au téléphone, pouvez-vous demander au procureur un mandat d'emmener à l'encontre de Monsieur Trouboul ? D'accord, je vous envoie le capitaine Analila.

Clara va pour commencer à lire sa fiche, mais Henri l'arrête net. Sa façon de parler est toujours aussi sèche, aussi nerveuse.

— Bon, laissez tomber ses fiches, on verra ça après l'arrestation de Trouboul. François, préparez la voiture et demandez en même temps que deux policiers nous accompagnent dans un deuxième véhicule.

— Bien, chef. François se lève et s'en va rapidement, bien contant de quitter cette ambiance chargée.

— Clara prenez l'adresse de ce Trouboul et allez chercher le mandat d'emmener chez le commandant. Dès que vous êtes prêts, on y va.

Henri a du mal à se contrôler. La nuit agitée qu'il vient de passer, les douleurs insoutenables à sa cuisse, tout cela le met en rogne. Allait-il pouvoir tenir dans la course de dimanche ? Cela l'inquiétait, car il aurait voulu faire un exploit, gagner était à sa portée. À l'entraînement, il avait trouvé de bonnes sensations. Mais à cause de cette chute, il n'était plus sûr. Foutue gamelle qui compromettait sa prestation. Il fut dérangé dans ses réflexions par Clara qui vient lui dire qu'ils sont prêts.

François est un virtuose de la conduite, la traversée de Paris est rapide, le « périf » et la porte de Vincennes sont avalés en un rien de temps. François a mis le gyrophare sur le toit et continue d'avancer comme l'éclair, la deuxième voiture peine à les suivre. Fontenay, Nogent et Champigny sont passés à vive allure, ils arrivent à Chennevières-sur-Marne en moins d'une heure. C'est une ville bourgeoise traversée par la Nationale 4, François tourne à gauche dans la rue Molière. Pas besoin de chercher loin, une belle Porsche est garée devant une maison de style austère. François se gare derrière elle. Comme ça, il est coincé, s'il veut se sauver, il faut qu'il le fasse à pied…

— Vous avez vu commissaire les belles traces de rayures, cela vient de la collision avec les deux cyclistes.

— Oui, Clara vous prenez des photos du véhicule avec les traces, avec la maison en arrière-plan.

La maison est immense, une grande pelouse garnie de massifs de fleurs l'entoure. Pas de mur, pas de grillage, trois marches amènent les policiers devant une grande porte en bois. Une main en cuivre tient une grosse boule, Henri la soulève et la laisse tomber par trois fois sur le battant de la porte, un bruit étouffé se répercute dans l'air. Un grand gaillard ouvre la porte, voyant des policiers devant sa maison, il fait un pas en arrière. Promptement, Henri pose son pied devant la porte évitant qu'elle se ferme. Le grand gaillard à la figure juvénile voyant qu'il ne peut rien faire, fanfaronne.

— Que me valent ce remue-ménage et ces flics, c'est quoi tout cela ? Messieurs !

— Vous êtes bien Monsieur Trouboul ?

En posant la question, Henri a sorti sa carte de police et le document bleu du procureur.

— Oui, c'est bien moi, et alors, que me vaut cet honneur, répond ironiquement le coureur.

Il a répondu d'une voix assurée comme s'il ne se sent pas concerné par la descente de police, déjà, un attroupement se fait devant sa maison. Les passants et voisins curieux discutent entre eux, ils sont étonnés de voir des policiers investir une maison à l'apparence austère dans le quartier.

— Elle est bien à vous cette voiture jaune garée devant la maison, Monsieur Trouboul ? Oui, pourquoi cette question ? répond sèchement l'individu.

— Vous le saurez au poste de police, veuillez-nous suivre, vous êtes en état d'arrestation.

— Permettez que je prenne une veste quand même ?

Henri fait signe que oui et demande à un policier de le suivre. En sortant de sa maison, le grand gaillard se rebiffe en gesticulant de tous les côtés. Les policiers pas impressionnés pour un sou lui mettent les menottes et le montent de force dans leur véhicule.

11

Henri après un petit détour à son bureau, se dirige vers la salle d'interrogatoire, les deux capitaines l'attendent dans une pièce voisine. Clara, comme à son habitude, a préparé les fiches qu'elle a étalées sur la table. Le commissaire les prend et les étudie minutieusement, puis, il leur fait signe de le suivre. Le commissaire s'installe face au prévenu, Clara se place près de son chef et François se met debout derrière Trouboul. L'individu, depuis plus d'une demi-heure, s'impatiente et la montée d'adrénaline se fait sentir. Le grand gaillard commence à s'énerver, ses yeux tournent comme des toupies, il regarde à tour de rôle ses interlocuteurs. Henri calmement presse sur un bouton de la télécommande, l'écran qui est fixé au mur s'allume, l'image du grand gaillard s'affiche. Se voyant soudain dans la télé le rend encore plus nerveux.

— C'est quoi tout cela ? Que me reproche-t-on ? Et pourquoi suis-je en garde à vue ?

Henri ne lui répond pas, il regarde tranquillement la fiche qu'il tient dans sa main. Pour le prévenu, l'attente est pesante, on sent une atmosphère chargée d'ions dans la pièce. Le commissaire, imperturbable, commence à lire l'énumération de son état civil.

— Vous êtes Monsieur Gérard Trouboul, né le 4 juillet 1986 à Ris-Orangis, vous demeurez Rue des Molières à Chennevières-sur-Marne. Vous êtes inscrit au club cycliste de Ris-Orangis (USRO) depuis l'an 2000. Je vois, d'après votre fiche que l'année prochaine vous êtes recruté dans une équipe professionnelle, la Bbox, c'est bien cela.

Le prévenu ne répond pas et attend la suite. Il se dit que « moins on en dit, mieux on se porte ». Il a décidé de prendre la position des trois singes. « Ne rien voir, ne rien entendre et ne rien dire ». Le commissaire continue :

— Les charges qui ont été retenues sont les suivantes. Un, d'avoir provoqué sciemment un accrochage avec votre voiture envers des cyclistes qui s'entraînaient, occasionnant de graves chutes, dont deux coureurs sont grièvement blessés. Deux, présomption de meurtres ou de complicité de meurtres sur le coureur, Marcel Campion et du docteur Scorsère. Et trois, votre implication dans un réseau généralisé de dopage dans le peloton cycliste. Qu'avez-vous à dire ?

Le grand gaillard a le visage cramoisi, en entendant les charges qui pèsent sur lui, sa superbe d'un seul coup s'écroule, ses yeux sortent de ses orbites comme des grenades prêtent à exploser. Les mots se bousculent dans sa bouche, il bafouille des phrases incompréhensibles.

— Commissaire, je… Pourquoi… Je ne… Pourquoi… Vous m'accusez… Je n'ai tué personne. Le prévenu se lève d'un seul coup et montre un doigt vengeur vers le plafond, il éructe.

Les capitaines rapidement le ceinturent et le forcent à s'asseoir, lui intimant l'ordre de se calmer. Henri reprend l'interrogatoire placidement.

— Une question Trouboul ? Pourquoi faites-vous peur aux coureurs qui s'entraînent, en leur faisant des queues de poisson avec votre voiture ?

— Mais comment savez-vous cela ? Vous m'avez vu faire des queues de poisson sur la route, vous étiez là pour voir ça ?

— Vous ne me reconnaissez pas ? C'est vrai que je n'ai pas ma tenue cycliste aujourd'hui, je suis coureur cycliste comme vous, on a même couru ensemble à Ablon, répond cyniquement Henri.

— Ah ! C'est vous qui enquêtez sur le meurtre de Jérôme ? On nous a dit qu'il y avait un flic dans le peloton et qu'il fallait faire attention. Alors, là vous m'en bouchez un coin. Coureur cycliste et commissaire…

— Faire attention à quoi ? demande le commissaire en lui coupant la parole.

— Qu'il fallait se taire dans le peloton et…

— Et quoi ?

— Que si, on savait qui était ce flic, il fallait le dégommer.

— Comment ça, le dégommer ?

— Eh bien, le mettre hors d'état de nuire, en le balançant dans le fossé.

Clara regarde son collègue puis le commissaire, elle est effarée d'apprendre qu'il y a comme une sorte de contrat sur la tête de son chef. Le prévenu parle de le balancer dans le fossé, mais pourquoi pas le tuer comme ils ont tué Campion ? L'enquête devient tout d'un coup dangereuse. Henri garde son calme et continue l'interrogatoire.

— Pourquoi avoir tué Marcel Campion ?

— Parce qu'il voulait dénoncer le docteur Scorsère et parler de la drogue qui se généralise dans le peloton, mais ce n'est pas moi qui l'ai tué.

— Mais qui alors ? demande Henri.

— C'est ce Piréot, une vraie tête brûlée celui-là. Quand on nous a demandé de le faire tomber sur le muret dans la course de Combs-la-Ville, c'est le seul qui a accepté de le faire. Pourquoi a-t-il accepté de l'assassiner ? demande François atterré.

— Une histoire de gonzesse, capitaine.

— Quoi ? Une histoire de gonzesse ? Assassiné pour une femme ? Mais encore ! C'est lamentable répond François, sidéré.

— La sœur de Piréot a largué Campion et lui, a voulu se venger en le balançant dans le fossé.

— Il tue, rien que pour ça. La copine ne veut plus de lui et il le descend. C'est un peu léger, vous ne croyez pas, demande Clara.

— Oui, c'est une histoire de cul qui finit mal, mais aussi que Campion voulait dire beaucoup de choses, il voulait dénoncer le réseau de drogue et nous, on en voulait tous après lui et puis avec leur histoire de gonzesse, ils n'étaient plus les mêmes. À chaque course, ils se bagarrent comme des chiens, ils foutent le bordel dans le peloton. Moi, je veux devenir pro et grâce aux produits que l'on me donne, je sais que j'y arriverais. Mais si le réseau est découvert, c'est sûr que c'est la fin de nos carrières.

— Donc, pour continuer votre carrière comme vous le dites, il faut tuer un homme. Quelle mentalité ! Enfin, pour ce qui concerne le dopage, ce n'est pas notre affaire, nous avons instruit le dossier à l'AFLD et à l'OCTRIS, lui répond le commissaire.

— C'est quoi tout ça ? demande le prévenu. Il s'agit d'un service de lutte contre le dopage et de la brigade des stupéfiants. Ce qui veut dire que si vous n'êtes pas impliqué dans les assassinats, vous aurez affaire à ces gens-là, dit le commissaire.

— Mais je vous dis que je n'ai tué personne, je vous ai dit tout ce que je savais. Maintenant, ma carrière cycliste est finie, je crois, car avec l'AFLD, ils ne vont pas me lâcher.

— Jeune homme, vous avez préféré choisir la facilité en vous dopant, en entrant dans ce réseau généralisé du dopage. Alors qu'avec un bon travail aux entraînements, vous y seriez arrivé. Bon, passons à notre affaire, admettons que vous n'y êtes pour rien dans le meurtre de vos collègues, qui a tué le docteur Scorsère ?

— Commissaire, pour le docteur, nous ne savons rien... Euh... Pour nous, cela a été un coup dur quand on l'a appris. Pour nous, il était notre avenir.

Le grand gaillard est confus, il ne sait plus quoi dire. À son visage qui a pris la couleur de la cire, on voit qu'il commence à comprendre la gravité de son engagement avec le réseau de la drogue. Henri comprend aussi qu'il n'en tirera plus rien de lui, qu'il n'est impliqué dans aucun des meurtres. C'est un gamin perdu qui est tombé sur des individus qui profitent de l'égarement de cette jeunesse pour leur promettre un meilleur avenir.

— Bon, Monsieur Trouboul, je prolonge votre garde à vue le temps que la brigade des stupéfiants vous prenne en charge. Vous serez poursuivi aussi pour l'accident que vous avez provoqué sur les coureurs à l'entraînement.

Là-dessus, le commissaire se lève et fait signe à François de l'incarcérer. Arrivé à son bureau Henri se remet à éplucher les rapports, son regard se porte souvent sur le tableau « fil conducteur ». Il se pose des questions. Qui a tué le docteur ? Qui est le responsable de ce réseau ?

Il est clair maintenant que les instigateurs de ces meurtres se trouvent parmi eux. On frappe à sa porte. Ce sont les deux capitaines qui viennent aux nouvelles, car ils sont un peu perdus dans l'enquête. Henri leur fait signe de s'asseoir, François sort son calepin et Clara se met près du tableau. Leurs regards se dirigent vers le commissaire et ils attendent avec impatience la suite. Henri est toujours pensif. Pendant un moment, il oublie la présence de ses adjoints. Puis sortant de sa léthargie, il intervient brutalement.

— Bon, il y a deux affaires dans notre enquête, d'un côté il y a les meurtres des deux coureurs et de l'autre côté, celui du docteur. Faisons le point dans cette nébuleuse enquête. Campion est balancé par Piréot sur ce muret dont le docteur Scorsère a retiré le ballot de paille. Puis le docteur assassine Piréot, pour je pense, empêcher que l'on arrive à remonter jusqu'à lui et son réseau. Nos recherches maintenant, consistent à trouver qui a tué le docteur et de trouver qui dirige ce réseau de dopage.

— Moi je crois que le docteur a été tué par jalousie ou par vengeance, suggère François.

— Oui, c'est pour ça qu'il faut chercher dans son entourage. Et je suis sûr qu'indirectement, si on trouve l'assassin, on ne sera pas loin de trouver les responsables du réseau de dopage.

— Oui, mais commissaire son entourage est vaste, il y a les coureurs, les présidents de clubs, les kinés et j'en passe, cela fait beaucoup de monde. Il va falloir trier dans tout cela, mais comment, cela me paraît compliqué ? demande Clara.

— D'abord, il faut chercher tout ce qui tourne autour de lui. François, vous voyez les clubs pour qui il travaillait, c'est-à-dire : Créteil, Usro, Us Longjumeau, Massy-Palaiseau et le CMS Puteaux. Les coureurs qu'il fournissait : Cristo, Rossignolet, Armant et Aumont. Clara, faites-moi une recherche sur les documents de la scientifique concernant la maison où a été tué le docteur. S'il le faut, allez faire un tour sur les lieux. Peut-être que vous trouverez quelque chose qui nous mette sur la piste du tueur. Moi, je vais appeler mes amis présidents de club. Il faut que je voie si le docteur Scorsère a été remplacé. Et on n'oublie pas que dans deux jours c'est la « ronde Bondoufloise ». Il est midi passé, bon je vais faire une petite sortie de décrassage et on se retrouve à dix-sept heures pour faire le point.

— Et cet homme qui voulait abattre le coureur à l'hôpital, que devient-il ? demande François.

— Ah oui, j'oubliais, il vient de se faire opérer de la clavicule, le médecin que j'ai appelé me dit que dans trois jours, il pourrait sortir. Et j'ai donné des ordres pour qu'on me l'amène ici pour son interrogatoire.

Il est dix-sept heures passées quand Henri arrive à son bureau, la forme est là, la petite sortie de cinquante kilomètres lui a fait du bien. Il prend son bigophone et commence à appeler ses amis. Au bout d'une demi-heure, il apprend que le docteur Scorsère est remplacé par le docteur Hyppolite Vérol. Ancien coureur cycliste, il aurait gagné quelques courses dont le Paris-Camembert et le Paris-Roubaix amateur, autant dire un bon coureur. Il a été médecin sportif à l'INSEP. Clara et François arrivent avec le café qu'ils posent sur le bureau, puis leurs fiches à la main, ils attendent que le commissaire démarre la réunion.

— Alors, où en est-on sur l'entourage de ce docteur ? demande le commissaire.

— Je n'ai pas eu le temps de faire le tour de tous ses amis, mais les premiers contacts que j'ai eus sont négatifs. Il est difficile d'avoir des renseignements, tous me répondent évasivement. D'après ce que j'ai pu comprendre, c'est que ce docteur était très discret, il avait peu d'amis. Il se contentait de fournir quelques coureurs en produits médicamenteux et c'est tout.

— Médicamenteux… Pour ne pas dire produits dopants, suggère le commissaire. Je viens d'apprendre que le docteur a été remplacé, il s'appelle Hyppolite Vérol, c'est un ancien coureur de haut niveau. Actuellement, il pratique la médecine à l'INSEP. Et vous Clara, vous avez trouvée quelque chose ?

— J'ai commencé à étudier tous les rapports d'analyses, j'ai relu tous vos rapports, mais rien ! Il nous manque quelque chose, je le sens, mais quoi ? J'ai comme une intuition que l'on passe à côté de quelque chose. Je ne sais pas, mais dans tout cela, je sens comme un malaise, mais je ne peux pas dire quoi.

— Oui ! Cette enquête est une nébuleuse d'imprécations qui n'aboutissent à rien, il faut chercher ce qui nous manque. Bon, demain à huit heures au café.

Le briefing étant terminé tout le monde vaque à ses occupations. Clara perd patience, elle a beau chercher dans tous les documents de la scientifique, mais rien. Rien qui puisse lui donner une petite lueur d'espoir de trouver la faille qui ferait tomber ce réseau. Mais d'abord, que cherche-t-elle ? Elle n'en sait pas trop, des noms, des numéros de téléphone… De guerre lasse, elle va voir son collègue qui croule sous les coups de téléphone. Le voyant submergé, elle décide d'y aller seule, c'est vrai que cela n'est pas conforme à la procédure. Elle doit toujours se faire accompagner quand elle s'en va en mission. Mais elle ne peut attendre plus longtemps, le temps presse.

Quelques minutes après, la voilà dans sa petite Clio se dirigeant vers Limeil-Brévannes. Elle se dit que fouiller l'appartement de ce coureur n'est pas dangereux et ne justifie pas qu'elle soit accompagnée. Elle arrive à la rue des Fauvettes et elle demande au gardien les clés. Elle monte rapidement les marches la menant au logement de Piréot, puis méticuleusement elle fouille, sans savoir ce qu'elle cherche. Elle fouille dans tous les recoins, vidant les tiroirs, elle met littéralement à sac l'appartement. Mais encore une fois, elle ne trouve rien.

Elle s'approche de la fenêtre et regarde le parking rempli de voitures, puis elle se tourne vers le salon. Des papiers et des documents jonchent le sol, ce ne sont que des factures ou divers courriers sans importance. Elle met sa main à la ceinture et elle sent l'armature froide de son pistolet, cela la rassure quelque peu. D'un seul coup, son regard est attiré par un tiroir à moitié ouvert du meuble du salon. C'est un tiroir qui se trouve à mi-hauteur, tout à l'heure, elle l'avait vidé, mais elle n'avait pas fait attention à ce bout de papier qui dépasse du dessous. Elle se baisse et aperçoit une grosse enveloppe scotchée sur le fond du tiroir. Elle arrache le scotch noir et retire l'enveloppe, elle la tourne de tous les côtés, c'est une simple enveloppe scratch de couleur jaune marron, rien n'est inscrit dessus. Clara va à la cuisine se servir un verre d'eau puis s'assoit à la table pour se reposer un peu, elle pose l'enveloppe devant elle. Elle est tellement absorbée dans ses pensées qu'elle ne fait pas attention au léger bruit dans le couloir. La porte d'entrée s'ouvre tout doucement, l'intrus ne fait pas de bruit et pénètre dans le salon. Il regarde le fouillis au sol et il voit le tiroir à l'envers au sol, en voyant le morceau de scotch qui dépasse, il comprend qu'il arrive trop tard. À sa main droite, il pointe un gros museau noir devant lui. Il est armé, son Glock 19, avec son embout muni d'un silencieux RDS lui semble léger dans sa main. D'un seul coup, un petit bruit dans la cuisine le fait se retourner, à pas mesurés, il avance. Clara avale son verre d'eau et le pose sur la table, quand soudain, elle aperçoit face à elle, la gueule d'un pistolet tenu par un homme d'une cinquantaine d'années. Instinctivement, elle se laisse tomber en arrière sur le carrelage de la cuisine, ses pieds se lèvent, balançant la table qui atterrit brutalement sur le ventre du tueur. Instinctivement d'un geste de la main, il balance le meuble sur le sol. Clara dans son élan tombe sur la tête qui cogne fortement sur le sol, elle ressent une vive douleur, machinalement, elle cherche son arme qui se trouve coincée sous elle. Elle entend un bruit étouffé, celle d'une arme munie d'un silencieux, puis elle entend une course effrénée dans les escaliers puis plus rien, le silence total se fait dans l'appartement. Elle plonge d'un seul coup dans un trou noir, une nuit totale, dans son subconscient, elle entend des bruits sourds et puis c'est le néant.

12

Elle ouvre les yeux, des formes vaporeuses remuent devant elle, un épais brouillard l'empêche de bien voir, les sons sont inaudibles. Où est-elle ? D'un seul coup, la mémoire lui revient, elle se souvient de ce pistolet dirigé sur elle. Elle passe sa main sur la tête et sent le bandage qui lui entoure le crâne, un homme lui parle. C'est confus, elle ne comprend pas ce qu'il dit. Peu à peu, ses paroles se font plus distinctes.

— Alors, Madame, cela va mieux ? Ne bougez pas, restez allongée.

— Qui êtes-vous ? demande Clara.

— Je suis le docteur Lavoisier, vous avez eu un choc sur la tête, mais ce n'est pas trop grave. Vous avez un léger traumatisme et une belle plaie sur le crâne.

Clara regarde autour d'elle, elle se trouve dans une chambre d'hôpital, une aiguille est plantée dans son avant-bras droit et un liquide blanc transparent coule dans ses veines. Le docteur se trouve assis auprès d'elle, une infirmière quitte la chambre avec son chariot de produits médicaux, il lui tend un verre d'eau avec un médicament. De vives douleurs se réveillent dans sa tête, c'est comme si un marteau-piqueur lui taraude le cerveau. Elle prend le cachet et le verre d'eau et avale le tout d'un coup sec. A la porte, elle aperçoit un gardien de la paix qui s'avance vers elle.

— Ça va mieux capitaine ? Bien, j'ai appelé votre commissaire, il va bientôt arriver.

Clara qui a repris tous ses esprits se dit qu'elle va avoir droit à une belle engueulade, puis elle se souvient de l'enveloppe qu'elle a posée sur la table de la cuisine.

— C'est vous qui m'avez trouvée ? Comment avez-vous su qu'il m'était arrivé quelque chose ? demande Clara au policier.

— Eh bien, je venais pour voir une personne au rez-de-chaussée de l'immeuble quand j'ai entendu du bruit dans l'escalier, cela venait des étages. Et quelques secondes après, je vois un homme descendre à toute allure les escaliers. Il avait un pistolet à la main. J'ai à peine eu le temps de mettre ma main sur mon arme qu'il avait disparu. Aussitôt, je grimpe rapidement les escaliers, je trouve une porte ouverte, je rentre et je vous trouve allongée par terre avec du sang qui coule sur le côté de votre tête. J'appelle les pompiers et voilà.

Clara réfléchit, elle pense soudain à l'enveloppe. Où est-elle ? A-t-il eu le temps de la prendre ? Ou est-ce l'assaillant qui l'a prise ? Puis, elle se tourne vers le policier qui a un visage ravi après son exposé.

— Dites-moi, sur la table de la cuisine, il y avait une lettre, vous l'avez ramassé ?

— Eh bien capitaine, répond le policier, la table était renversée et je me suis d'abord occupé de vous.

Le policier est content de raconter les faits, surtout que le capitaine est une belle fille. Puis il s'approche un peu plus prêt du lit et brandit à bout de bras la fameuse lettre. Clara pousse un cri de joie en la voyant, ce qui ravive ses douleurs à la tête. Elle pense à cette lettre. « Ouf, il ne l'a pas prise ». Le docteur, assis un peu plus loin remplissait des documents. Clara souffle. Cette lettre va atténuer l'engueulade dont elle s'y attend, très vive. Son commissaire est un homme intransigeant sur les procédures et là, il ne va pas me louper. « Autant avoir un atout, se dit-elle, et cette enveloppe va atténuer les réprimandes ». C'est son trophée de guerre. Elle prend l'enveloppe des mains du policier et la pose sur sa poitrine. Elle se doute que le contenu doit être explosif, car il y a eu deux meurtres. Et ce tueur, il est sûrement venu pour récupérer cet objet et puis cette tentative de tuer un capitaine de police. Ce qui veut dire que cette chose avait son importance. Elle entend du bruit dans le couloir, c'est le commissaire qui arrive. Elle ferme les yeux, pensant éviter le déluge qui va lui tomber dessus. Elle les ouvre. Le commissaire divisionnaire est là, calme, serein. Mais un faux calme en apparence, Clara connaît bien son chef et elle sait que cela cache une colère contenue qui va s'extérioriser. Rien qu'à son regard, elle le voit. Henri regarde son capitaine puis se dirige vers le médecin, il s'inquiète de sa santé.

— Alors, docteur, est-ce grave ? Qu'a-t-elle eu exactement ?

— Eh bien, elle a un léger traumatisme crânien à la suite d'un choc sur le côté du crâne avec une plaie ouverte. Ce n'est pas grave, trois jours de soins et de repos et elle sera apte à reprendre le travail.

Puis il se dirige vers le policier qui lui explique de long et en large ce qu'il savait. Et il vient enfin voir Clara qui s'attend à tout. Puis il s'adresse à son collègue François.

— Bien, François, réglez les problèmes avec le docteur et prenez la déposition du policier. À nous deux maintenant Clara !

François jette un œil sur sa collègue, lui faisant signe de tenir bon, que cela va s'arranger avec le temps. Et il s'éclipse discrètement avec le policier et le docteur, laissant ses deux collègues s'expliquer.

— D'abord que s'est-il passé, Clara ? Et expliquez-moi pourquoi, vous êtes partie seule dans cette mission. Je vous avais dit d'y aller accompagner.

— Je sais commissaire que j'ai fait une faute. Mais François était tellement occupé avec ses recherches et ne voulant pas attendre, je me suis dit que d'aller fouiller l'appartement ne serait pas dangereux, répond maladroitement Clara.

— Peu m'importe votre réponse, vous auriez dû attendre, cette faute est impardonnable. Je risque d'avoir une enquête de la police des polices pour savoir si je n'ai pas fait une faute en vous laissant régler seule cette mission. Que s'est-il passé exactement, il paraît qu'il y a eu un coup de feu ?

— Oui, commissaire. Après avoir fouillé l'appartement et ayant trouvé ce que je cherchais, je me suis assise dans la cuisine en buvant un verre d'eau. Quelle fut ma surprise de voir en face de moi un homme armé ! J'ai eu le réflexe de me jeter au sol, ce qui m'a sauvée, car j'ai entendu la balle me siffler à l'oreille.

— Et après que s'est-il passé ? demande le commissaire qui s'est un peu calmé.

— Après, ma tête a percuté fortement le sol et je suis tombée dans les pommes, cela s'est passé tellement vite que je ne sais même pas comment était mon assaillant.

Henri sort de la chambre et il demande à François s'il a fini de prendre la déposition du policier. Il a un regard attendrissant envers sa collègue qui semble bien supportée les réprimandes du commissaire.

— François, allez à cette cuisine et récupérez-moi cette balle. Au fait Clara, c'est quoi cette découverte que vous avez faite ? Clara le visage souriant, enveloppé tel un œuf de Pâques, tend au commissaire une enveloppe en s'exclamant.

— Ceci commissaire, je l'ai trouvé scotché sous un tiroir et cet homme, c'est sûrement cela qu'il venait chercher. D'ailleurs, je ne comprends pas pourquoi, il ne l'a pas prise, elle était posée devant moi quand il m'a tirée dessus.

— La peur ou la précipitation, je ne sais pas, mais ce qui est sûr c'est que vous n'avez pas eu à faire à un professionnel capitaine. Heureusement, car en ce moment, ce n'est pas l'hôpital qui vous attendait, mais le cimetière.

À cet instant, le docteur entre et dit au commissaire qu'elle doit rester 24 heures en observation. Clara se rebiffe, elle ne veut pas rester à l'hôpital. C'est le commissaire qui insiste pour qu'elle accepte par des phrases rassurantes et autoritaires.

— Capitaine Clara Analila, par précaution, vous restez une nuit à l'hôpital. Ensuite, on se voit au bureau pour régler tous ces problèmes. De toute façon, dimanche c'est la Ronde Bondoufloise. Donc une petite pause dans l'enquête, cela vous fera du bien et dimanche vous serez en forme pour la course.

François qui s'apprête à partir pour la rue des fauvettes reçoit des consignes du commissaire.

— Capitaine faites-vous accompagner, on ne sait jamais et dans deux heures, on se retrouve à mon bureau. Allez Clara, maintenant reposez-vous bien, et à dimanche.

Henri finit sa phrase en lui caressant le visage d'un doigt léger, avec un peu de tendresse dans la voix, afin de rassurer son capitaine. Il regarde une dernière fois Clara qui commence à s'endormir sous l'effet des médicaments et il pense que sa collègue a eu chaud. Et il se souvient de son ancien capitaine qui lui n'a pas eu cette chance, la balle ne l'a pas ratée. Enfin, ouf, elle s'en sort bien.

13

Dans le flot habituel d'une autoroute chargée, une Mercedes roule tranquillement sur l'A6. Le conducteur les yeux dans le vide, ne fait pas attention à ce qui se passe autour de lui. Il est tellement en colère que les voitures qui le doublent l'indiffèrent, il s'en veut d'avoir loupé son coup rue des Fauvettes. Il se doutait que quelque chose avait été caché dans cet appartement.

Pourquoi ne suis-je pas allé plus tôt ? pense-t-il. C'est sûrement une enveloppe qu'il y avait sous ce tiroir. « Mais que contient-elle ? » Ce morveux de Campion voulait tout balancer, au téléphone, il disait qu'il avait tout noté et qu'il allait envoyer le tout à la police. « Tout ça à cause de cette pétasse, l'amour cela rend fous les hommes, ils en perdent les pédales », se dit-il. Puis ce Piréot qui récupère cette enveloppe. Mais pour quoi faire ? Pense tout haut le conducteur. Heureusement que le docteur Scorsèse est intervenu sur ce Campion, car sinon la police aurait déjà reçu cette enveloppe. Mais impossible de lui faire sortir quelque chose à ce jeune con, il était coriace sous la torture. Et le docteur qui perd patience en le tuant accidentellement.

Et cet autre coureur, quelle idée qu'il a eu de prendre ces cachets de speed, il a fait une overdose, s'il crève, cela va me retomber sur la figure. Bon sang ! Tout va mal dans cette affaire.

Et cette enveloppe ! Bon Dieu ? La policière l'a-t-elle récupérée ? se demande-t-il. Je ne crois pas l'avoir tuée, car j'ai tiré au hasard avant de prendre la fuite. Le conducteur a parlé tout haut, pensant avoir une réponse, mais il est seul dans la voiture et personne ne peut lui répondre. Et il continue sur sa lancée.

Pourtant, j'ai fouillé partout et je n'ai rien trouvé. Mais ce putain de tiroir, je n'ai pas pensé à le retourner, mais la policière, elle l'a sûrement récupéré. Cette enveloppe devait être collée au dos de ce foutu tiroir, je n'y avais pas pensé, hurle-t-il. Tout dans ses pensées tonitruantes, il ne fait pas attention à la circulation. Un moment d'inattention et le voilà qui fonce sur la voiture se trouvant devant lui, il donne rapidement un coup de frein brutal, le réflexe lui permet d'éviter le choc, mais dans l'action, il heurte une voiture sur le côté droit. Ne voulant pas faire de constat à l'amiable, il accélère à fond, frôlant quelques autres véhicules et il prend la sortie de Chilly-Mazarin, laissant derrière lui, un carambolage d'une dizaine d'automobiles. Il appuie à fond sur la pédale d'accélérateur, repasse sur l'A6 puis il la reprend dans le sens contraire. Il roule ainsi jusqu'à la Francilienne et se dirige vers Créteil. Une fois calmé, il reprend ses réflexions. Il n'a pas réussi à prendre l'enveloppe. Il faut que j'en parle au chef, car maintenant cela devient grave. Dans cette enveloppe qu'y a-t-il ? Campion a dû noter les noms de tout le monde et maintenant elle se trouve dans les mains de la police. À Limeil-Brévannes, il prend l'A86 et se dirige vers Vincennes, il arrive dans l'avenue de Paris. Le bâtiment ne paye pas de mine, c'est une grande masure à la façade d'un gris sale, il y a des multitudes de fenêtres bien rectilignes. C'est la clinique des Tilleuls, appartenant au docteur Robert Genets, spécialiste en chirurgie traumatique du sport. L'homme pressé gare sa voiture sur le parking réservé aux docteurs. À l'accueil, il prend son courrier et s'adresse à l'hôtesse.

— Bonjour, Matilde, il est là Robert ?

— Bonjour Docteur Martial, oui, il est à son bureau.

Il prend un grand couloir à la couleur d'un blanc vif et frappe à une porte. Elle s'ouvre sur un grand gaillard au visage carré avec des cheveux gris blanc peignés en brosse, un nœud papillon en guise de cravate et il est revêtu d'une blouse blanche. Il regarde son collègue et il comprend que les choses ne vont pas comme prévu.

— Entre, dit-il sèchement.

Les deux hommes s'installent dans de profonds fauteuils qui se trouvent dans un coin du bureau. L'homme à la Mercédès est nerveux, il ne sait pas par quel bout commencer. Le docteur Genets réfléchi rapidement, « cela veut dire qu'il n'a pas récupéré l'enveloppe... Il faut que je fasse le vide autour de moi, avant que la police n'intervienne... Et que vais-je faire de lui ? C'est le premier qui doit disparaître », murmure-t-il en regardant son collègue.

— Alors que s'est-il passé, tu n'as pas récupéré l'enveloppe ? demande-t-il d'une voix douce.

— Non, Robert, en arrivant à l'appartement, je l'ai trouvé tout chamboulé, tout était par terre et quand j'ai vu le tiroir à l'envers avec le scotch noir qui pendait, j'ai tout de suite compris.

— Quelqu'un était passé avant toi. C'est cela ? Mais qui ?

— Eh bien je regarde ce tiroir par terre, quand un bruit m'a attiré vers la cuisine. J'y suis allé et je suis tombé sur une jeune femme, elle était assise à une table buvant son verre d'eau. Avec du recul, je pense que c'était un flic.

— Ah ! Et qu'as-tu fait ? demande nerveusement le docteur.

— La policière en tombant, m'a balancé la table sur le ventre, en voulant l'éviter, j'ai tiré au hasard et je suis parti en courant.

— Bien, bien… C'est fâcheux tout cela…

— Que fait-on maintenant ? demande l'homme à la Mercédès

— Bon, il est quatorze heures, on se retrouve ce soir à vingt et une heures à la salle funéraire, viens aussi avec le docteur Vérol. On va régler tout cela ensemble. Et il est clair qu'il y aura des solutions draconiennes à prendre.

Et là-dessus, les deux hommes se séparent, chacun allant de son côté.

La nuit est tombée, noire comme le charbon. Une pluie diluvienne se déverse sur les voitures à l'arrêt, faisant un bruit d'enfer. Dans la Rue de Paris à Vincennes, les gens courent souhaitant rentrer le plus vite possible chez eux pour se mettre à l'abri. La Mercedes entre silencieusement dans la cour de la clinique, les deux hommes qui en sortent, vêtus d'une gabardine noire, se dépêchent de passer entre les gouttes. Arrivés dans l'entrée, ils s'ébrouent provoquant une mare d'eau à leurs pieds. Le docteur Vérol regarde sa montre et dit à son collègue :

— Tu vois, on est pile à l'heure, à ma montre, il est 21 heures et une minute.

L'homme ne répond pas, il marmonne des mots incompréhensibles, ce rendez-vous le déplaît et il craint le docteur Genest, c'est le grand patron et il doit lui obéir. Ils se dirigent vers le fond de la clinique en empruntant un long couloir. Ils passent près de gens qui attendent leur rendez-vous sans les regarder. Après avoir passé deux sas, ils arrivent à leur destination. Sur la porte, une inscription en rouge « salle funéraire – Défense d'entrer ». Le docteur l'a poussé brutalement, la pièce est dans une légère pénombre. Dans le fond, l'on devine une table, elle est en inox, elle doit servir aux patients décédés. Dans un coin, trois fauteuils sont disposés autour d'une table basse remplie de magazines. Les deux hommes s'assoient et attendent, le docteur Vérol triture dans sa main droite une cigarette, il veut fumer, mais il sait qu'il n'en a pas le droit, nerveusement elle tourne et retourne entre ses doigts. La tension est à son extrême.

L'attente est longue, longue... Le docteur Genest de sa fenêtre a vu la Mercédès se garer, il voit les deux hommes en sortir et courir vers la porte d'entrée. Courez mes amis, courez, vous allez être bien reçus. De toute façon, vous n'êtes que de bons à rien, marmonne-t-il dans sa moustache. Il sort lentement de son bureau et se dirige vers le funérarium. Il pousse la porte nerveusement, il a toujours sa blouse blanche sur lui et il tient à sa main gauche, un attaché-case. Après un bref bonjour très froid, il s'assoit en face de ses collègues. Le docteur est contrarié et le fait sentir. Il pose brutalement l'attaché-case sur la petite table et d'un coup de pouce, l'ouvre. Le bruit des serrures qui claquent se répercute dans la pièce froide. Les deux hommes se regardent, ils sont inquiets, l'atmosphère est pesante, glauque. Le docteur au nœud papillon sort de l'attaché-case une bouteille de Chivas et trois gobelets.

— Bien, mes amis, buvons un verre à notre amitié avant de parler travail, des solutions drastiques devront être prises, dit-il laconiquement.

Et il sert les trois gobelets translucides qu'il pose devant chacun. Les deux hommes un peu étonnés boivent leur verre cul sec. Le docteur Genets, son gobelet encore plein à la main, commence l'entretien. Et discrètement, il pose son verre parterre à ses pieds, les deux hommes n'ont rien vu.

— Bon, les affaires vont mal en ce moment. J'ai appris qu'un commissaire divisionnaire qui est aussi coureur cycliste s'occupait de trop près de nos affaires. J'ai donné des ordres pour que l'on s'occupe de lui. Robert, toi tu n'as pas réussi à récupérer cette enveloppe, maintenant elle se trouve dans les mains de la police. Donc cela ne va plus ! Sans compter, ce justicier qui règle ses comptes, qui est-il cet homme ?

— Cela est un mystère, Robert, on ne sait pas qui a tué le docteur Scorsèze. Et qui est cet homme qui semble régler ses comptes ?

— Et pour cette enveloppe ?

— Je suis arrivé cinq minutes trop tard et je n'ai pas pu récupérer cette putain d'enveloppe et j'ai tiré sur un policier qui se trouvait là.

— Ah ! Justement, donne-moi ton arme, il faut la faire disparaître, car tu n'as pas récupéré la balle.

Le docteur s'exécute docilement et lance le pistolet dans l'attaché-case. Il a soudainement chaud, il s'éponge le front avec la manche de sa veste, la tête commence à tourner. Quelque chose ne va pas. Il regarde son verre vide, sa vue commence à s'embrouiller, il voit tout en double, il a des contractions au niveau du cou, son visage se déforme par des rictus. Il regarde le verre de l'homme au nœud papillon, il est encore plein. D'un seul coup, son collègue s'écroule, son corps est arc-bouté, seulement sa tête et ses talons touchent le sol, il est en transe secouée par des convulsions, puis il se bloque raide mort. Marcial comprend qu'ils sont tombés dans un piège, mais trop tard, tant bien que mal, il voit le docteur Genest un sourire aux lèvres verser son verre sur le sol. Il se met à crier, ou plutôt à gémir, tellement sa voix est faible, son visage est déformé par les rictus, il arrive avec difficulté à parler.

— Espèce d'enculer…

Et il s'écroule pesamment dans le fauteuil. Le docteur Genest se dirige vers la porte et appelle un individu qui attendait dans le couloir. Un homme entre. Il est vêtu d'un bleu de travail. Il a une tête patibulaire avec de longs cheveux noirs et de larges sourcils épais, il a des épaules de déménageur. Un individu qu'on n'aimerait pas rencontrer dans un coin sombre. Le docteur s'adresse à lui d'une voix calme et posée.

— Bon Octavio, brûle-moi ces corps puis rentre chez toi, je t'appelle plus tard, car j'ai beaucoup de travail.

— D'accord Robert, ce sera fait proprement, répondit-il d'une voix caverneuse.

Et les deux hommes se séparent sans autres mots. Le docteur, avant de quitter la pièce, enlève sa blouse, prend l'attaché-case, l'arme, la bouteille et les gobelets qu'il pose en vrac sur le corps éteint du docteur Marcial et fait un signe de la tête au grand gaillard qui comprend.

Octavio va chercher le brancard et le ramène à la salle funéraire. Péniblement, il met les deux hommes sur le brancard en les posant tête-bêche, puis il prend le pistolet et s'amuse avec comme un gamin, en visant les parties génitales de Marcial. Il a envie de tirer mais il sait qu'il ne peut pas le faire et dépiter il balance l'arme sur l'entre-jambes avec rage. Puis il enveloppe le tout d'un grand drap blanc.

Le four se trouve de l'autre côté du couloir. Pour y arriver, il faut qu'il le traverse, il espère qu'il n'y a personne, il regarde de chaque côté, rien c'est vide. Après beaucoup d'efforts pour arriver devant le four, il s'arrête un moment, il transpire à grosses gouttes. Il prend un bout du drap qui recouvre les corps et il s'éponge le front. Ses vêtements mouillés par la sueur, le gène dans ses mouvements. Fatigué et trempé, il décide d'aller prendre une douche. « À cette heure-ci, personne ne viendra par ici », se dit-il. Il laisse tout en plan et va gaiement se doucher.

Pendant ce temps-là, un infirmier trouve que l'attitude d'Octavio n'est pas normale. Cela fait un moment qu'il le surveille car il trouve que ses façons de faire sont très étranges. Il pense qu'il est le petit chien du docteur Genest. Il entre dans le crématorium et il voit le brancard qui n'est pas à sa place habituelle. En regardant bien il voit que le drap est à moitié tiré, laissant apparaître la tête d'un homme. Il le tire et là, il aperçoit les deux corps enchevêtrés. Il pousse de grands cris, « Mais… mais… On dirait le docteur Marcial », marmonne-t-il.

Il touche son cou, il est froid et raide. « Il est mort », s'écrit-il. Il recule instinctivement et il regarde l'ensemble, il voit le four allumé et les corps semblent être en attente. Cela fait tilt dans sa tête, ils veulent faire disparaître ces corps. Vite, il part en courant et entre dans un bureau vide, il prend le téléphone et appelle la police.

Octavio, après avoir fait un somme d'une demi-heure, se présente près du brancard, il va pour mettre les corps dans le four. Quand soudain la porte s'ouvre, des policiers entrent et lui sautent dessus. Il se rebiffe et balance de ses grands bras, des taloches sur quelques policiers qui s'écroulent sous les coups de boutoir. Trois autres policiers le mettent au sol et en quelques secondes, le voilà menotté. Les policiers à terre se relèvent en se frottant leur visage tuméfié.

Octavio, assis dans une voiture de police, regarde les corps partir en ambulance, un commissaire, avec son allure de pachyderme et ses bretelles aux couleurs extravagantes, donne des ordres. Le grand gaillard a les yeux dans le vague, il a failli à sa mission que lui avait confiée le docteur. Mais après tout, se dit-il, pourquoi me lamenter, je vais finir en prison et le docteur ne pourra rien me faire. Et il s'enfonce plus profondément sur le siège.

14

Henri est en pleine discussion avec ses adjoints, il prépare son entrevue avec le commandant Pulvar, quand le téléphone sonne, il décroche et il tombe sur le commissaire Lapluche qui lui demande de le retrouver à la morgue de l'hôpital de Créteil. Laconiquement, il lui explique qu'il se trouve avec deux cadavres sur les bras. Henri, demande aux deux capitaines de l'accompagner et dix minutes après les voilà partis à Créteil.

— Que se passe-t-il commissaire ? demande François, encore un cadavre ?

— Pas un, mais deux, répond le commissaire et si Lapluche m'appelle, cela veut dire que ces corps concernent notre enquête.

— Eh bien, c'est le nettoyage par le vide, bientôt nous n'aurons plus personne à arrêter, susurre malicieusement Clara.

— Oui, cela veut dire qu'ils ne sont pas tranquilles. Le responsable de ce réseau fait le vide autour de lui. On brûle, mes chers collègues ! dit joyeusement Henri. On brûle !

Dans le couloir de la morgue, le commissaire Lapluche les attend, avec ses faux airs de Bérurier, les gens le regardent bizarrement. C'est vrai qu'avec sa cravate aux couleurs chatoyantes et ses larges bretelles, il ne peut pas passer inaperçu. Henri le salue et ils entrent dans la grande salle carrelée du sol au plafond, le froid les pénètre d'un seul coup, leur tombant comme une chape sur leurs épaules. L'odeur de mort est horrible, Henri n'aime pas ses lieux, il prend son masque et le pose sur son nez. Ses coéquipiers en font autant, Clara a déjà perdu ses couleurs asiatiques et a une triste mine, surtout avec son pansement qu'elle a encore sur la tempe droite. Elle est sortie plus tôt de l'hôpital, ne voulant pas croupir dans cet endroit aux odeurs pharmaceutiques.

Le médecin légiste, un dictaphone à la main, dicte son rapport. Les deux corps sont allongés sur des tables en inox, ils sont nus. Ils ont le visage figé avec sur leurs lèvres comme un rictus. « Une mort bizarre » se dit Henri et le docteur comme s'il avait deviné la réflexion d'Henry, prend la parole.

— Bien, comme vous pouvez le constater, la position des corps est étrange, commente le docteur. La raideur cadavérique, les yeux révulsés et les rictus des stimuli sur leurs visages sont provoqués par une drogue.

Le docteur est habillé d'une grande blouse verte qui le couvre des pieds à la tête, cela le fait ressembler à un martien. Il a parlé d'une façon froide d'un ton naturel. Il a du sang sur sa blouse et sur ses mains gantées. Les corps ont encore la poitrine ouverte et un assistant pèse les organes. Clara devant ces corps ouverts avec les intestins répandus sur la table commence à avoir des nausées. Elle fait des efforts pour ne pas tourner de l'œil, il faut qu'elle soit forte pour continuer dans ce métier.

— Cette raideur cadavérique est provoquée par quoi ? demande le commissaire divisionnaire Navarette. Cela n'est pas naturel docteur.

— Vous avez raison commissaire, ces deux hommes ont été empoisonnés par un puissant poison. Je pense à l'arsenic ou plutôt à la strychnine. Vu les convulsions qu'ils ont eues, regardez celui-là, la tête est bloquée en arrière et les talons sont raides. Comme si ses muscles se seraient contractés par des spasmes violents. Il n'y a que la strychnine pour faire cela.

Après les explications du docteur, ils se retrouvent dans un grand couloir de l'hôpital, dans un coin, Henri voit une salle d'attente vide, il fait signe à tout le monde de s'asseoir. Le commissaire Lapluche pour une fois ne pose pas de question. Il a compris que son homologue a l'enquête bien en main. Henri regarde Clara, le capitaine l'inquiète, elle n'a pas repris ses couleurs habituelles, elle a le visage défait.

— Alors, Clara, cela ne va pas mieux, vous êtes sortie trop tôt de l'hôpital, je pense ? s'inquiète Henri.

— Tranquillisez-vous commissaire, je vais reprendre le dessus. J'ai besoin de m'endurcir et je prends le bon chemin en ce moment. Le sourire est de circonstance, mais légèrement crispé. Sûrement que le capitaine va mettre du temps à se remettre de sa petite aventure.

— Ce n'est rien de le dire, chère collègue, répond François inquiet aussi de sa santé.

— Bien, commence Henri, ces deux hommes ont été empoisonnés et si l'infirmier ne nous avait pas appelés, ils auraient disparu dans le four et plus de traces d'eux. J'ai reconnu l'un des deux hommes, c'est un médecin que j'ai souvent vu sur les courses. Commissaire Lapluche, vous avez des renseignements sur eux ?

— Non, cher collègue, les poches ont été vidées car on n'a rien trouvé, pas de portefeuille, pas de papier officiel, l'infirmier nous a dit que l'un des morts s'appelait le Docteur Marcial.

— Clara prenez des photos de ces deux hommes, et avec François, allez faire une enquête à cette clinique.

— Et vous commissaire, comment allez-vous vous rendre au 36 ? demande François.

— Je vais appeler le 36 pour qu'on vienne me chercher. Allez, partez à cette clinique à Vincennes. En attendant mon chauffeur, je vais discuter avec mon collègue le commissaire Lapluche.

Les deux policiers se mettent à discuter longuement de l'enquête. Le commissaire Navarette pose d'incessantes questions à Lapluche qui se trouve déstabilisé par ces meurtres. Henri est tellement pris par son enquête qu'il ne voit pas son chauffeur qui vient d'arriver et qui lui fait timidement des signes. Le policier n'ose pas le déranger, se méfiant des réactions de son supérieur. Soudain, Henri se fige, il regarde intensément Lapluche et la question fuse rapide comme l'éclair.

— Avez-vous perquisitionné le bureau du docteur et les lieux du crime ? s'inquiète le commissaire.

— Non, rien n'a été fait, cher collègue, lui répond le géant placidement.

Henri reste étonné. Les lieux du crime n'ont pas été inspectés, pas d'enquête préliminaire de fait sur les lieux du crime, c'est vraiment léger de la part du géant commissaire. Il faut à tout prix aller là-bas et sécuriser les lieux, avant que les preuves ne soient effacées. Apercevant enfin le policier, il se lève et se dirige à grands pas vers la sortie de la morgue. Lapluche en fait autant, se demandant quelle mouche a piqué son collègue. Arrivé à la voiture, Henri s'adresse à son chauffeur et lui dit.

— Allez brigadier, direction la clinique où l'on a découvert les corps et faite vite. Mettez vos feux de toit en route et votre klaxon. Henri est tout excité. Il a parlé d'une traite, d'une voix gutturale à faire pâlir Hitler. Il a peur que la scène de crime soit polluée par le personnel de la clinique.

Le géant profitant d'une accalmie tout à fait relative, lui parle :

— Commissaire n'ayez aucune crainte, j'ai quand même sécurisé les lieux et j'ai mis deux policiers en faction là-bas. Le géant a parlé d'une voix calme.

— Bon, très bien, répond Henri, d'une voix profonde. Et il se renfrogne dans son fauteuil restant muet pendant tout le trajet.

La voiture banalisée se range devant la clinique et Henri, avec la tête des mauvais jours, sort rapidement du véhicule et d'un pas rapide entre à l'hôpital. Le travail a repris comme s'il ne s'est rien passé. À l'accueil, il y a beaucoup de monde qui attende placidement que l'hôtesse s'intéresse à eux. Henri traverse le couloir, pousse une porte et tombe nez à nez avec un policier qui l'interpelle.

— Ici, il est interdit d'entrer, monsieur. Veuillez passer votre chemin, s'il vous plaît.

L'intonation de l'agent est sèche mais courtoise. Henri sort son carton bleu, blanc, rouge, puis sans un regard au policier, il pénètre dans la pièce. Son regard fait le tour des lieux, il cherche un indice qui pourrait l'orienter dans son enquête. Le brancard est là, au milieu de la pièce, trois fauteuils en cuir simili beige, sont positionnés d'une façon que les trois personnes puissent discuter en se regardant. Il se déplace vers le brancard qu'il trouve bizarre, il y a quelque chose dessous les draps. Cela me paraît trop volumineux, se dit-il ? Il se tourne vers le policier et il lui demande de sa voix autoritaire.

— Brigadier, trouvez-moi des gants de chirurgien et de grandes enveloppes, s'il vous plaît.

— À vos ordres, commissaires ! Pendant ce temps-là, le commissaire Lapluche s'approche d'Henri, il est d'un calme olympien, comme si rien ne s'était passé d'anormal, et pourtant, il venait de commettre une faute en ne protégeant pas les lieux du crime. Les lieux sont restés tels que vous les avez trouvés, commissaire ? demande Henri sans un regard vers son collègue.

— Oui, commissaire, sauf bien sûr, les corps qui ont été envoyés à la morgue, répond placidement le géant.

Henri prend son portable et appelle la scientifique. Le policier arrive avec les gants et les enveloppes, Henri après s'être ganté, s'approche du brancard, il soulève les draps et il découvre un attaché-case à moitié fermé. Il l'ouvre et à l'intérieur, il découvre trois verres et une bouteille de whisky. Il va pour les mettre dans une enveloppe, mais il se ravise, il préfère prendre la valisette à la main. Il demande au policier de faire sortir tout le monde des lieux du crime. Il se dirige ensuite vers le bureau du docteur et pousse la porte.

Le bureau est impeccable, poubelle vidée, rien sur la table, les étagères bien rangées. « Le nettoyage a été fait ici », se dit le commissaire Navarette. Puis il retourne voir le commissaire Lapluche qui se trouve seul dans la salle d'attente, à part le commissaire, il n'y a personne dans la petite salle exiguë. Henri, la colère s'estompant, commence à expliquer, ce qu'il pense des derniers évènements.

— Bon résumons commissaire, le patron de cet établissement doit être le cerveau du réseau généralisé de dopage au niveau de la région parisienne. Cet homme fait le vide autour de lui. Ces deux médecins trouvés morts devaient être ses adjoints, ce sont eux qui devaient organiser le travail auprès des coureurs.

Tout d'un coup, Henri est interrompu par l'arrivée d'un bataillon d'hommes en blanc qui débarque sur les lieux et investisse la pièce funéraire, l'interrompant dans ses explications. Henri, laissant de côté le commissaire, les regarde faire, puis il voit ses deux lieutenants, il leur fait signe de venir. François commence à expliquer son enquête sur le personnel de la clinique, pendant que Clara, le visage encore défait, s'assoit sur une banquette. Au bout d'un moment, elle ne suit plus la discussion des deux hommes et la voilà partie dans le règne des rêves. François qui a vu sa collègue s'endormir continue de faire son rapport, comme si de rien n'était. Parfois, il est interrompu par son chef. Pendant ce temps-là, le commissaire Lapluche, assis dans une autre banquette qui se trouve à côté de Clara, prend des annotations sur son petit calepin. Que peut-il écrire, dans ce minuscule cahier pas plus grand qu'un briquet de marque Tipo, pas grand-chose ! Il semble plutôt se désintéresser de l'enquête en faisant semblant d'écrire ce que dit François.

15

L'immeuble est relativement calme, pas un chat dans les escaliers, les enfants sont encore en classe. À l'horizon, le ciel est d'un bleu d'une pureté azuréenne, pas un nuage ne se prélasse dans cet espace céleste. Le soleil écrase de ses rayons brûlants, les frêles épaules de quelques passants à la recherche d'un peu d'ombre.

Au deuxième étage, un homme, le visage mangé par un chapeau au large rebord, s'approche de la porte marquée d'un sceau jaune avec des inscriptions : « police, défense d'entrer », il sort un couteau de sa poche et coupe le fin ruban jaune. Puis un trousseau de clés à la main, il triture la serrure qui d'un seul coup s'ouvre. Rapidement, il pousse la porte et entre, le battant se referme dans un claquement sec. Il enlève son léger pardessus blanc, son large chapeau et il pose l'ensemble sur la table de la cuisine. Son visage ruisselle de sueur, d'un revers de sa manche de chemise, il s'essuie la figure. Il est vrai qu'avec cette chaleur étouffante, ce n'est pas étonnant, le moindre mouvement et le voilà trempé. Il est mouillé des pieds à la tête, ce qui freine ses mouvements. D'un coup d'œil, il fait le tour de l'appartement, il reste beaucoup de traces des investigations de la police scientifique, il y a de la poudre blanche un peu partout, dans le salon des papiers et des livres jonche sur le sol. L'homme se penche vers un tiroir qui se trouve parmi les objets jetés un peu partout, il le retourne et il voit le scotch qui pend sur le côté, il hoche la tête d'une façon négative, puis il va à la cuisine, en regardant bien de tous les côtés, il aperçoit une balle sur le carrelage. Puis il se dirige vers la chambre, d'un regard circulaire, il voit un lit défait. Sur la table, il n'y a plus d'ordinateur, seuls l'écran et les fils sont posés sur le sol. Bon, la police a dû embarquer le PC, je ne trouverai plus rien ici, autant que je m'en aille, dit-il. Parlant tout haut, sans s'en rendre compte. Il descend les escaliers rapidement, puis il entre dans sa voiture, une C2 grise. Avant de démarrer, il sort d'un attaché-case des documents qu'il se met à lire, puis il prend un cahier où il inscrit quelques notations. Dix minutes après, le voilà sur la route, il double quelques voitures qui n'avancent pas assez vite à son gré. C'est qu'il est pressé le brave homme. Une demi-heure après, le voilà devant la clinique, il se gare entre deux Mercédès et pénètre dans l'établissement. Il s'assoit dans une banquette qui se trouve face à l'accueil, l'hôtesse ne fait pas attention à lui, il est vrai qu'il n'est pas le seul à attendre, pour faire bonne mine, il prend un magazine. Mais son regard est partout, surveillant les moindres faits et gestes. Au bout d'un moment, il se lève, l'endroit lui semble calme. L'hôtesse est occupée à ranger des papiers et à répondre au téléphone. « Allez ! se dit-il, c'est le moment, allons-y ! »

D'un pas décidé, il ouvre une porte et il se trouve dans un long couloir, il se dirige sans hésiter vers la salle marquée « funérarium », il entre rapidement et ferme derrière lui. Devant lui, il y a les banquettes et un brancard, d'un regard inquisiteur il retient tout en mémoire, puis il lève le drap, mais il ne trouve rien. « Encore bredouille, se dit-il, voyons son bureau maintenant ». Au bout d'un moment, il se retrouve devant une porte, un nom est affiché, « Robert Genest », il appuie sur la poignée et il pousse brutalement le battant qui va cogner contre le mur. Il reste là figé, des hommes le regardent, surpris par son entrée fracassante. Il reste là pantois, ne sachant que faire, puis un individu se dirige vers lui.

— Mais entrez donc, cher Monsieur, et fermez bien la porte derrière vous !

La voix est ferme, gutturale même. Notre homme calmement, pas dérouté pour un sou, fait l'inventaire des gens qu'il a en face de lui. Il y a là, un géant aux pattes d'éléphant, ses larges bretelles fluo garnies de titis et de gros minets, le démarque fortement dans la pièce. Le deuxième homme a le crâne légèrement dégarni et une petite moustache discrète, il a l'allure d'un sportif, à côté de lui, il y a une belle femme de type Eurasienne, mais elle n'a pas l'air d'être en pleine forme puis un autre homme de type italien clôture son inventaire. Le géant à la tenue fluo prend la parole :

— Je me présente, commissaire Lapluche de Créteil, à côté de moi, vous avez le commissaire divisionnaire Henri Navarette et les capitaines du quai des Orfèvres. Et vous, vous êtes qui pour oser pénétrer sur une zone de crime ?

— Euh… Bonjour, Messieurs et Madame… Je suis le détective Serge Bonaventure, je suis chargé de mener une enquête, répond l'intrus d'une voix calme et contenue.

— Quoi ! un détective sur notre enquête, se met à vociférer le géant de commissaire.

Henri ne souhaite pas que la discussion s'engage avec le commissaire Lapluche et ne veut pas lui laisser le champ libre, il prend rapidement la parole.

167

— Monsieur le détective, je trouve bizarre votre intrusion sur un lieu de crime, donc je vous demande de nous suivre au quai des Orfèvres, nous serons plus à l'aise pour discuter de notre affaire.

Et d'un regard, il fait signe à ses capitaines de l'emmener. Le détective veut rouspéter, mais le commissaire lui tourne le dos et il s'en va suivant son chauffeur. Les deux lieutenants, maintiennent fortement par les bras, l'individu qui se démène vigoureusement, puis sans ménagement ils l'entraînent d'un pas décidé vers la voiture.

16

Le commissaire divisionnaire est désappointé, son enquête non seulement piétine, mais prend d'un seul coup une nouvelle tournure.

Que vient faire ce détective dans l'enquête ? Qui l'a embauché et qui le paye ? Ce fait nouveau est étrange se demande-t-il, c'est quoi encore ce merdier. Puis il se dirige vers son équipe qui travaille dans leur bureau du quai des Orfèvres. Le détective, qui est assis face au capitaine Spinéla, est toujours aussi tranquille, il cherche à discuter avec le capitaine qui fait la sourde oreille. À l'entrée du commissaire, Clara pose le téléphone sur son socle et de suite prend la parole.

— Bon commissaire, cet homme est bien un détective, il a toutes ses habilitations à jour.

OK, capitaine. Puis se tournant vers le détective qui triture nerveusement son chapeau, il lui lance un regard inquisiteur et lui demande brutalement.

— Que venez-vous faire dans notre enquête, Monsieur euh…

— Monsieur Serge Bonaventure de la société « Investigation plurielle » pour vous servir commissaire divisionnaire. Je savais qu'un jour nous allions nous rencontrer, car au cours de mes investigations dans le milieu cycliste, j'ai beaucoup entendu parler de vous.

— Mais que venez-vous faire dans mon enquête ? Qui vous a recruté ? demande, excédé, le commissaire.

— Sachez que je ne suis pas obligé de vous répondre, car je suis tenu de garder le secret sur mon client. Mais ce que je peux vous dire, c'est que mon travail consistait à découvrir qui a tué le coureur Campion, répond tranquillement le détective.

— Et pourquoi ? demande Henri.

— Mon client souhaitait sponsoriser le coureur Piréot et Campion qui représentait pour lui l'avenir du cyclisme professionnel, il voulait aussi savoir qui lui avait saboté son affaire de sponsoring.

— Encore une affaire de gros sous liée au dopage…

— Sûrement commissaire, mais cela n'est pas mon affaire, je dois simplement donner un nom à mon client et mon travail est terminé.

— Et pourquoi êtes-vous venu à cette clinique ?

— Parce que mes investigations m'ont dirigé vers le Docteur Genest qui est, je le pense, le commanditaire de ces meurtres.

— Bien, Monsieur Bonaventure, si j'ai bien compris, votre travail est maintenant terminé, en désignant le docteur Genest à votre client. Mais que va-t-il se passer après ?

— Je n'en sais rien commissaire, répond sèchement le détective.

— Bien, j'en ai fini avec vous, vous pouvez disposer, mais vous êtes toujours à ma disposition en cas de problème. Et que je ne vous retrouve pas sur mon chemin.

— Aucun problème, commissaire et au revoir, dit le détective en remettant son chapeau de cowboy sur la tête.

— Ah, j'oubliais ! Vous dites que l'on parle beaucoup de moi dans vos investigations, mais qui ? Et à quel niveau ?

— Ce sont surtout des coureurs qui s'inquiètent d'apprendre qu'un des leurs soit policier et que cela risque de compromettre leur carrière s'il découvre le réseau de dopage dans le peloton.

— Ah bon ! Et alors…

— Je serais à votre place commissaire, je protégerais mes arrières, on ne sait jamais.

— Ça, j'ai compris, Monsieur le détective, maintenant, allez, vous pouvez partir.

Le détective est parti et le commissaire reste un moment pensif. A-t-il tout dit ? Il désigne officiellement le Dr Genest comme le grand responsable d'un crime, mais, et les autres, cela se complique, se dit Henri. Genest n'est pas le seul responsable. Et la drogue dans tout cela ? Je patauge toujours se dit-il ? Plus il réfléchit et plus l'affaire se complique. Pour mieux comprendre, il énumère lentement la liste des protagonistes. Elle est longue : 6 coureurs, 4 docteurs, un détective et ce tueur inconnu de l'hôpital. Cela fait beaucoup de monde. Il faut que l'on éclaircisse tout cela. Puis il se tourne vers les capitaines qui attendent une intervention de sa part.

— Bon l'enquête s'enlise avec l'arrivée de cet individu, il faut faire le point minutieusement. Pour cela, on se retrouve demain à huit heures. Clara vous me faites un topo de chaque personne incriminée. Les six coureurs, les quatre docteurs, le détective et ce tueur de l'hôpital.

— Bien commissaire, tout sera prêt pour demain, et je prépare le café aussi.

Les deux capitaines partis, Henri se positionne devant le tableau, son fil conducteur, le capitaine Clara de sa fine écriture a tout noté, rien ne manque, mais l'essentiel n'y est pas. Il analyse chaque phrase écrite en commençant par le début. D'abord cette chute provoquée, suite à une altercation dans le peloton, un coureur tombe mortellement sur un muret, c'est une première chose. Ensuite, ce corps découvert à Limeil-Brévannes, un assassinat transformé en suicide et puis ces deux autres corps, dont un est dans un état comateux. Tout cela n'est pas logique, tous ces crimes ne sont pas liés ensemble. Henri pousse plus loin son analyse et son cerveau, à la façon d'Hercule Poirot, travaille à fond avec méthode et ses neurones divaguent dans les méandres de son enquête, mentalement, il s'énumère toute l'affaire :

1- Les coureurs incriminés ne seraient que des exploités par un système de dopage généralisé mis en place sûrement par un laboratoire pharmaceutique avec la complicité de médecins véreux. Trois coureurs se détachent du lot quand même. Piréot serait le coureur qui a assassiné son collègue pendant la course et cela par jalousie et qui aurait été ensuite tué par le Dr Scorsère parce qu'il voulait dénoncer le réseau de drogue à la police. Ensuite, J. Rossignolet et G. Tréboul seraient deux coureurs talentueux, certes, et promus à une carrière professionnelle. Ils seraient là pour brouiller les pistes afin que le réseau de drogue fonctionne sans problème. Ensuite, le rôle des médecins, Scorsère et Vérol seraient les distributeurs de drogue aux coureurs. Martial et Genest sont les grands patrons du système généralisé du dopage. Mais pourquoi ces meurtres parmi ces docteurs ?

2- Et ce détective que vient-il faire là et ce justicier qui est-il ?

Il y a encore des points noirs à régler, finit par conclure le commissaire, on verra tout cela demain. Puis la fatigue lui tombe soudainement sur les épaules comme une chape de plomb, il se met à bâiller, il se décide finalement à rentrer chez lui.

17

Henri arrive à son domicile, il décide d'un seul coup, à faire une petite sortie vélo d'une cinquantaine de kilomètres, il ne veut pas aller au Golf de Bondoufle de peur d'amener le danger sur sa dulcinée. Ces gens sont capables de tout, déjà quatre meurtres et cela n'est peut-être pas fini. Il roule à une allure modérée, souhaitant surtout à réfléchir sur son enquête. Son cerveau est en ébullition, il a beau penser, penser, mais rien de concret ne sort. « Où se trouve la solution de cette enquête qui piétine », se demande le commissaire.

Tout dans ses réflexions, il ne voit pas venir derrière lui, un cycliste qui à grande vitesse fonce sur lui. Arrivé à sa hauteur, il lève un bras qui est prêt à frapper. Mais Henri, sent une présence, il voit une ombre se dessiner sur le bitume devant lui, il devine le danger et dans un réflexe, il fait un écart sur le bas-côté et roule carrément sur l'herbe, il se retourne furtivement et il voit le cycliste qui dans son geste tombant dans le vide, se trouve ainsi déséquilibré, il slalome en zigzague sur la route pour éviter la chute. Henri en profite pour mettre un plus gros braquet et fonce à tire-d'aile, il se retourne et il le voit revenir à grande vitesse. « À la vitesse qu'il roule, ce coureur doit être un costaud », se dit Henri. L'attaquant revient rapidement sur Henri, il sort de sa poche arrière un minuscule pistolet et, arrivé à sa hauteur, il le pointe sur la tête du commissaire. Henri sent le nez du pistolet sur son crâne, d'un seul coup, dans un ultime réflexe, il se baisse sur le cadre de son vélo et il se propulse sur le cycliste pour le déséquilibrer.

Un coup de feu éclate dans l'air et il sent la balle lui frôler l'oreille. L'attaquant, bousculé par Henri, tombe brutalement sur la route, le bruit métallique de la chute se répercute dans l'air. Henri freine brutalement et s'apprête à sauter sur son assaillant, quand soudain une voiture arrivant à grande vitesse ne peut éviter le cycliste à terre, la roue arrière du vélo est pulvérisée et atterrit sur le capot du véhicule, puis le coureur passe sous l'automobile dans un bruit effroyable. Henri plonge dans le fossé de peur d'être aussi touché par la voiture qui perd son contrôle et percute violemment un arbre. Henri se dirige en courant, vers le cycliste et découvre un corps inerte, sans vie. Puis il va vers le véhicule, le chauffeur est couché sur son volant, il est entouré par son airbag, l'homme est dans les pommes.

Le commissaire sort son téléphone de sa poche arrière et appelle les secours, puis il fait le numéro personnel du capitaine Clara qui lui répond rapidement :

— Commissaire que se passe-t-il pour que vous m'appeliez sur mon portable personnel ? demande le capitaine.

— Figurez-vous qu'en voulant faire une petite sortie de vélo, je me suis fait attaquer par un cycliste, mais ne vous inquiétez pas je n'ai rien, j'aimerais que vous veniez avec votre collègue sur les lieux.

— Mais vous êtes où, commissaire ? demande Clara d'une petite voix inquiète.

— Alors, cela n'est pas compliqué. Vous prenez l'autoroute A6, vous sortez direction Milly-La-Forêt, puis à quelques kilomètres de là, vous tournez à droite direction Moigny sur École, vous traversez la ville et vous me trouverez sur la grande ligne droite menant à Mennecy.

— OK, on arrive.

Il à peine raccrochée qu'il voit arriver les pompiers, puis la gendarmerie. Il dirige d'abord les pompiers vers le chauffeur de la voiture qui semble encore en vie, puis il va voir les gendarmes.

— Bonjour, Messieurs, je suis le commissaire principal Henri Navarette, du 36 Quai des Orfèvres, je m'excuse de ne pas avoir mes papiers officiels, mais je faisais une simple sortie vélo. Je vous signale que c'est une scène de crime, car j'ai été attaqué par ce cycliste. Regardez, il a encore son arme à la main. Il faut protéger le secteur, car je vais faire intervenir le service scientifique.

— OK commissaire, j'appelle mon supérieur pour l'avertir et j'installe tout.

L'instant d'après, des plots sont installés autour du cycliste et de son vélo, ainsi que la voiture. Puis deux gendarmes règlent la circulation. Les pompiers ont allongé le chauffeur du véhicule sur une civière et l'ont rentrée à l'intérieur de l'ambulance, l'homme une minerve posée autour du cou a repris ses esprits et parle avec les pompiers. Henri s'est assis dans la voiture de la gendarmerie en attendant l'arrivée de ses capitaines qui ne devraient pas tarder. Le commissaire se pose un tas de questions.

« Qui est le commanditaire de cette attaque ? » « Et pourquoi par un coureur qui est venu me chercher en pleine campagne ? Les couleurs de son maillot ne représentent aucun club ni aucune équipe connue du milieu cycliste. Qui est donc ce rouleur d'un bon niveau ? »

« Et voilà, encore un fait nouveau à éclaircir », se dit le commissaire sobrement.

Au loin, le son d'une sirène retentit et après un ultime virage, les feux tricolores d'une voiture banalisée apparaissent. Le véhicule se gare près des gendarmes, un couple en sorte et se dirigeant rapidement vers le commissaire.

— Ça va, commissaire, vous n'avez rien ? demande le capitaine Analila.

— Ça va capitaine. Prenez-moi d'abord des photos de la scène de crime, répond le commissaire. Et vous capitaine Spinéla, mettez des gants et inspectez ses poches sans trop bouger le corps, car la scientifique va arriver.

— J'y vais commissaire, répond le capitaine en se dirigeant vers sa voiture.

Une heure après, les enquêteurs se réunissent autour du commissaire sur le bord de la route et commentent leurs résultats. Henri dirige le débat et pose des questions.

— Capitaine Spinéla, qu'avez-vous trouvé sur lui ?

— Eh bien dans ses poches dorsales, j'ai trouvé des clés, de son logement sûrement et c'est tout, rien d'autre.

— Bien, c'est peu, répond le commissaire dépité. Puis il se tourne vers les hommes en blanc qui remplissent une mallette d'enveloppes brunes.

— Eh bien commissaire, nous avons fait des prélèvements, comme d'habitude, nous vous enverrons les résultats sur votre boîte mail.

— Et à part ça, rien d'anormal ? demande le commissaire.

— Oui, ce coureur semble être drogué, il a les yeux révulsés et rouges. Je vous en dirai plus à la morgue de l'hôpital de

Corbeil-Essonnes, disons demain vers les 17 heures, commissaire.

— Bien, levons le camp. Au fait capitaine, vous pouvez mettre mon vélo dans le coffre et ensuite vous me ramenez chez moi.

Le capitaine Spinéla regarde le vélo, puis le coffre et ensuite le commissaire. Il se demande comment faire pour entrer le vélo dans le véhicule. Le commissaire amusé par le comportement de son capitaine s'approche de lui et l'apostrophe en souriant.

— Alors, capitaine que se passe-t-il ? Le vélo ne rentre pas ? Pourtant, ce n'est pas compliqué. Regardez, d'abord on enlève la roue avant.

— Mais comment commissaire ? demande médusée le capitaine.

— C'est simple capitaine. Regardez, vous débloquez le blocage rapide de la roue à l'aide de ce papillon et hop, elle s'enlève, ensuite la roue arrière, vous mettez la chaîne sur les plus petites dents, comme ceci d'un coup de pédale et vous débloquez là aussi le blocage rapide et hop la roue s'enlève.

Henri prend le cadre du vélo sans roue et le pose dans le coffre puis il met les roues par-dessus, devant un capitaine éberlué.

— Allez, ramenez-moi à mon domicile maintenant.

— Le capitaine Spinéla regarde sa collègue qui rit sans retenue puis tout le monde monte dans la voiture. François démarre à fond de train, un peu vexé de s'être fait reprendre par son chef. Une demi-heure après, Henri remonte son vélo rapidement et lance à la cantonade. Bon allez, à demain, huit heures, mes chers collègues et il entre chez lui en claquant la porte.

18

Une bonne odeur de café embaume le bureau, le croissant à la main, Henri et son équipe démarre la réunion. On sent dans à la façon de parler du commissaire, une envie pressante d'en finir avec son enquête.

— Bien, mes chers amis ! Commence gentiment le commissaire, je vois un peu plus clair en ce qui concerne ces meurtres. Donc, il y a ce premier meurtre, un coureur cycliste dans une course est tué, d'après les dires, par un collègue jaloux. Puis, il y a ce deuxième coureur, assassiné parce qu'il voulait dénoncer le réseau de dopage. En ce qui concerne les médecins véreux, ils ont été éliminés, car ils devenaient encombrants, ou alors, c'est pour ne laisser aucun témoin gênant. Ont-ils fait des erreurs ? et le Big boss s'en est débarrassé pour être tranquille. Ensuite, les coureurs, Tréboul et Rossignolet sont là pour nous égarer dans notre enquête. Voilà pour le début de nos investigations, des morts, beaucoup de remue-ménage et tout cela pour nous égarer. Car l'essentiel n'est pas là, il est ailleurs, plus discret et plus ambigu.

Le commissaire arrête là son explication-fleuve pour reprendre son souffle et le capitaine Clara Analila en profite pour intervenir.

— Si j'ai bien compris votre raisonnement commissaire, tous ces meurtres qui ont eu lieu n'ont été que des prétextes pour nous détourner sur une mauvaise voie. Mais pour nous détourner de quoi ?

— Oui, vous avez bien compris capitaine, c'est vrai que c'est un peu tiré par les cheveux, mais arrêtons les investigations sur les coureurs et les docteurs. Théoriquement, notre travail consiste à arrêter les meurtriers, mais les assassins des coureurs sont morts, Piréot et Scorsère ou… Reste à trouver les tueurs des médecins, je pense qu'il s'agit du Big boss, alias le docteur Genest. Cherchons du côté des trois personnes suivantes, le justicier de l'hôpital, le détective et bien sûr le Big-boss.

— À mon avis, je suis sûr que ces trois-là, vont nous apprendre beaucoup de choses et pourquoi pas, nous amener vers la fin de notre enquête. Vous avez oublié quelque chose commissaire, dit Clara avec un léger sourire sur ses lèvres.

— Comment ça, j'ai oublié quoi ? demande-t-il d'une voix grave. Mais la lettre, commissaire ! dit énerver Clara.

— Mais c'est vrai, cette fameuse lettre, comment j'ai pu l'oublier, surtout avec cette balle qui vous a frôlée ! s'exclame Henri en se tapant le front de sa main droite, que je suis bête. Bon, allez Clara, dites-moi ce qu'elle contient.

Clara remue l'enveloppe entre ses mains, regardant minutieusement chaque face, puis sort la lettre et se tourne vers son chef. Henri regarde Clara attentivement, elle cherche sûrement les traces de sa mésaventure chez Piréot.

— Voilà chef, dit Clara d'une voix maîtrisée, l'enveloppe est en papier kraft, les empreintes que l'on a trouvées sont de Piréot et de Campion. La lettre est une feuille de papier A4, elle est écrite à la main par Campion, ensuite c'est Piréot qui la récupère, pourquoi on ne le sait pas encore. Alors voilà, écoutez bien, dit Clara.

Madame, Monsieur, vous qui lirez cette lettre, j'espère qu'elle se trouve dans de bonnes mains. Je souhaite avant tout vous expliquer ce qui se passe au milieu du peloton cycliste de la région parisienne, si je le fais c'est parce que j'en ai marre de voir la jeunesse se détruire par cette drogue. Moi aussi, je me dope, j'aimerais arrêter mais cela est trop tard. Je me sens menacé, car je suis récalcitrant à ce système généralisé du dopage. Le docteur Scorsère m'a déjà averti que si je parlais, j'aurais de graves problèmes. Jérôme Piréot, avec qui j'ai eu un problème, je lui ai piqué sa copine, m'a prévenu que j'allais passer un mauvais moment. Il m'a vu écrire cette lettre, mais il ne m'a rien dit.

Bon maintenant je balance tout, le grand responsable de ce réseau de dopage est le fameux Professeur en neurologie, mondialement connu, il s'agit de Robert Genest, un pourri qui travaille pour un laboratoire pharmaceutique. Les docteurs Scorsère, Vérol et Marcial sont ses adjoints des hommes de terrain. Les coureurs Piréot, Trouboul et Rossignolet sont des dopés, ils sont payés pour semer le trouble dans le milieu cycliste pour laisser le champ libre au dopage. Quelques coureurs gravissent dans le giron du professeur, ce sont des hommes de main, prêts à tout pour y arriver, mais ils sont sans intérêt, ils finiront comme beaucoup dans le caniveau de la drogue. Un homme circule beaucoup parmi les coureurs pour leur faire peur et les inciter à se doper, je ne connais pas son nom. On le repère facilement, car il se promène toujours avec son chapeau de cowboy sur la tête ou à la main. Voilà je vous ai tout dit concernant ces pourris. J'espère être encore en vie pour voir ces crapules sous les verrous. Marcel Campion

— Clara pose la lettre sur la table et regarde son chef qui est en pleine réflexion.

Il a le regard dans le vide, mais ses neurones travaillent à fond. Puis soudain, son visage s'illumine et d'une voix enjouée il prend la parole.

— Eh bien, tout cela confirme mon raisonnement. Maintenant, il faut qu'on arrête le Big boss, vous vous en occupez François. Ensuite, il faut enquêter sur ce détective qui nous a raconté des salades et il faut retrouver ce justicier de l'hôpital.

— Bon, si on arrive à résoudre ces derniers problèmes, dit d'une voix suave le capitaine Clara, cela veut dire que notre enquête se termine, commissaire.

— Sauf, si un imprévu nous tombe sur la tête, répond le commissaire. Le réseau c'est quoi ? Les trois docteurs, ils sont morts. Le coureur, Piréot est mort, Trouboul et Rossignolet sont en garde à vue. Il reste quoi ? Le détective, je m'en occupe et vous Clara du justicier de l'hôpital. François, pendant que je vais chercher le mandat d'arrêt contre le professeur Genest, vous vous occupez du reste.

Le commissaire se rend chez le commandant Pulvar qui ravit que l'enquête se dirige vers une fin inéluctable, lui remet le mandat d'arrêt du professeur Genest. Henri remet le document au capitaine Spinéla qui illico presto prend son bigophone et appelle tous les services afin de trouver son docteur en fuite. Le capitaine Clara Analila se rend à l'hôpital, accompagné d'un policier afin, d'interroger le justicier.

L'homme est encore allongé sur son lit et semble s'être endormi. Ses épaules sont entourées de lanières bleues, serrées sur sa poitrine. Clara appuie légèrement sur son épaule, le malade se réveille en sursaut poussant un léger cri de douleur, il regarde, éberlué le policier qui lui fait face, puis il fixe la femme qui lui a fait mal.

— Bonjour, Monsieur Nigaud, ça va ? Alors, voilà, je suis le capitaine Clara Analila du 36 Quai des Orfèvres. D'après ma fiche, vous vous appelez Thierry Nigaud demeurant à Évry 91, ancien coureur amateur. Je me trompe, Monsieur Nigaud ?

— Oui et alors, que me voulez-vous ? répond le malade énervé.

— Tout d'abord, je vous signale que vous êtes en état d'arrestation pour meurtre et tentative de meurtre. Mais, je voudrais savoir, pourquoi faites-vous cela Monsieur Nigaud ? demande Clara d'une voix ferme.

— C'est vrai que cela vous étonne, capitaine. Je me suis transformé en justicier après la mort de mon fils qui était coureur cycliste, il a abusé du dopage et il en est mort. Pourtant, c'était un bon coursier, il n'avait pas besoin de se doper pour gagner des courses. Mais voilà, il a écouté un de ses amis qui lui a dit qu'avec la dope, il pourrait faire mieux et pourquoi pas, devenir un jour professionnel. C'était son rêve à mon pauvre gamin, devenir un grand, comme son modèle Fignon, mais voilà…

— Je vois sur ma fiche que vous aussi vous avez participé au dopage, en donnant des produits illicites aux coureurs.

— Oui, capitaine, j'avais besoin d'argent et le réseau me payait bien pour distribuer les produits ! Mais après la mort de mon fils, j'ai décroché et ensuite je me suis emballé et j'ai fait des erreurs.

— Bien, Monsieur Nigaud, vous êtes en garde à vue dans votre chambre jusqu'à votre incarcération, un policier sera constamment devant votre porte, en attente de votre transfert. Au revoir.

19

Le capitaine Spinéla, après plusieurs appels infructueux, reste là, planté devant son téléphone qui reste muet, impossible d'avoir un renseignement sur le professeur. Mais où se cache-t-il ? Il doit encore se trouver en France, car il n'est sur aucune liste des compagnies d'aviation. Les commissariats de police ne le trouvent nulle part, pas même dans les gares. « Il doit bien se cacher le lascar, se dit le capitaine, mais je l'aurais, je le trouverais ». Tout dans ses réflexions, il n'entend pas le téléphone qui sonne à tue-tête, Clara qui arrive de l'hôpital, l'interpelle.

— Eh, François, tu dors ? Tu n'entends pas ton téléphone, tu veux que je décroche ?

— Non c'est bon, je le fais, car j'attends des appels urgents. Allo ! Oui, c'est moi, quoi ? Vous l'avez trouvé ? Où ça ? Bon, on arrive.

— Ah, ça y est, tu l'as ton professeur ? demande en riant Clara.

— Oui, il se trouve dans un grand hôtel à Paris, le George V sur les Champs-Élysées, tu m'accompagnes, Clara ?

— Oui, je vais demander à deux policiers de nous accompagner, on ne sait jamais, réplique Clara. Bon, je prends des gilets pare-balles et on y va dès que tu es prête. C'est bon, j'envoie un texto au chef et on y va.

— Pendant ce temps-là, le commissaire Henri Navarette appelle le détective sur son portable, cela ne répond pas. Henri tourne en rond dans son bureau, l'attente l'exaspère. Il insiste, deux fois, trois, quatre quant au cinquième appelle, enfin un déclic et une voix d'homme répond.

— Allo oui, qui me dérange ainsi ? Je suis occupé, j'ai beaucoup de travail.

— Commissaire Navarette à l'appareil, j'aimerais vous voir rapidement, c'est possible, Monsieur le détective ?

— Et comment, ou ça, commissaire ? Dans une heure au 36 quai des Orfèvres ? Dans les bureaux de Georges Simenon ? Wouahhhh... Bon j'arrive commissionnaire divisionnaire, répond le détective d'une voix enjouée et sûre de lui.

Un clic dans son téléphone lui annonce l'arrivée d'un message, il l'ouvre et voit le texto de Clara. Bien, murmure-t-il, cela avance.

Pendant ce temps-là, dans un quartier huppé de Paris, deux voitures de police s'arrêtent devant l'hôtel fastueux. Les policiers munis de leur gilet pare-balles entrent et se dirigent vers l'accueil. Le capitaine Clara, qui mène l'escouade, demande dans quelle chambre se trouve le professeur Genest. L'homme derrière le comptoir hésite à répondre, quand un homme en costume cravate arrive.

— Que se passe-t-il ? Pourquoi la police est ici ? demande-t-il.

— Capitaine Analila, Monsieur. Nous venons voir Monsieur Genest. Dans quelle chambre se trouve-t-il ? demande Clara, impérativement.

— Chambre 302, troisième étage, je vous demande d'intervenir discrètement, s'il vous plaît.

— Pas de problème, allez assez discuter. On y va, go, go dit le capitaine en se ruant vers les ascenseurs.

Porte 302, le capitaine frappe et attend, les hommes se mettent en position, l'arme à la main. Le couloir est calme, pas âme qui vive. Un bruit derrière la porte, tout le monde recule d'un pas. La porte s'ouvre sur un homme avec un nœud papillon sur une chemise blanche et un pantalon bleu azur.

— Oui, c'est pourquoi, ah ! La police, je présume que vous venez pour m'arrêter. Votre commissaire a été rapide à ce que je vois. Mais pas de problème, je prends ma veste et on y va, dit le professeur calmement, n'opposant aucune résistance, ce qui étonne Clara.

Le capitaine fait signe à un policier de l'accompagner, car elle n'a pas confiance. Chacun se met en position, prêt à intervenir, l'arrestation semble trop facile. Clara a un pressentiment, le sixième sens bien féminin. Quand soudain, le professeur sort de sa veste de costume un pistolet et tire. Un agent s'écroule en criant, il se tient la jambe blessée. Aussitôt, les deux autres policiers plongent sur le docteur qui s'écroule sur une petite table basse, elle explose sous le poids des hommes. En deux temps, trois temps, le professeur a les deux mains menottées et il est mis sans ménagement debout. Son nœud papillon est de travers et du sang coule sur sa joue gauche. Il regarde avec dédain le capitaine Clara, qui fait signe aux policiers de l'emmener. Soudain en faisant demi-tour, le regard de Clara est attiré par un reflet dans un miroir. Elle aperçoit un homme qui se cache derrière la porte de la salle de bain un gros pistolet à la main. Il se prépare à tirer, Clara dans un réflexe tire au hasard, un grand cri et l'homme s'écroule. Le capitaine Spinéla fonce sur l'individu, en passant il donne un grand coup de pied sur l'arme qui traverse la pièce et il constate que l'individu est mort.

— Bravo, capitaine, c'est un tir de précision, une balle en plein cœur, précise François. C'est un coup de maître ça.

— Oui, j'ai tiré sans réfléchir, j'ai agi à l'instinct. Bon maintenant on dégage, allez hop professeur, en route.

Le professeur ne coopère pas et les policiers sont obligés de le traîner sans ménagement. Ils le mettent avec difficulté dans une des voitures et ils partent à toute vitesse pour le 36, accompagnés par les deux capitaines. La deuxième voiture emmène le policier blessé à l'hôpital.

Dans le bureau du commissaire, une vive discussion s'engage entre deux hommes, le détective est sur la défensive et se défend avec force. Il sent qu'il est fini que le commissaire va l'arrêter. Il cherche une parade, puis il décide d'attendre de voir ce que la police lui reproche.

— Alors, Monsieur le détective, vous m'avez menti la dernière fois que l'on s'est vue. Vous m'avez promené en bateau. Vous n'êtes pas que détective, d'après les renseignements que j'ai sur vous, vous faites partie du réseau de dopage généralisé avec le Professeur Genest, n'est-ce pas ?

— Quoi ? Comment cela ? Je suis détective privé, payé par le professeur pour enquêter sur le coureur Campion et c'est tout.

— Non, Monsieur, j'ai ici une lettre du coureur Campion justement qui vous dénonce. Il dit que vous êtes l'homme de main du professeur et que vous faites des pressions sur les coureurs pour qu'ils se dopent.

— Quoi ? Il m'a nommé dans sa lettre, il a dit mon nom ? Non ! Mais alors, vous n'avez pas de preuves. Cette lettre, c'est une feuille de chou qui ne m'accuse pas, Monsieur le Commissaire, dit fièrement le détective. Je peux partir maintenant ? demande l'individu, faisant mine de se lever avec son large chapeau à la main.

— Non, Monsieur, car j'ai quand même une preuve qui vous accuse, Campion qui ne connaît pas votre nom, vous a vu souvent parmi les coureurs. Quand il parle de vous, il dit ceci : « c'est un homme qui se promène toujours avec un chapeau de cowboy ». Et c'est le chapeau que vous avez actuellement, n'est-ce pas ?

— Le détective est cramoisi, un simple chapeau le désigne comme coupable. Quelle idée j'ai eue de faire le mariole avec ce chapeau, se dit-il, vexé d'être découvert à cause de ce couvre-chef.

Il regarde son galurin qu'il triture dans sa main droite puis se sentant perdu, il toise hautainement le commissaire. Il se lève puis, d'une voix assurée, il répond à Henri : « Bravo commissaire vous avez gagné, oui c'est bien moi, « l'homme au chapeau de cowboy ». Je ne risque pas grand-chose, car je n'ai tué personne. J'ai obéi aux ordres du professeur et c'est tout. »

— C'est vrai, mais ce sont les juges qui décideront, car vous faites partie d'un réseau généralisé de dopage et ça, ça coûte cher. Donc je vous mets en garde à vue. Et puis vous êtes aussi complice des meurtres du docteur et des coureurs.

Le commissaire, à peine a-t-il fini sa phrase qu'il entend frapper à sa porte, le capitaine Spinéla joyeux entre, le sourire aux lèvres, suivi par le Capitaine Analila. Henri les voyant ainsi, pense tout de suite qu'ils ont réussi leurs procédures et il leur demande impérativement de le tenir au courant. Se disant mentalement que l'enquête s'emballe, s'accélère.

— Alors, mes chers collègues, je pense que vous avez rempli votre mission et que vous allez m'annoncer une bonne nouvelle. Vous pouvez parler devant le détective, il sera enchanté de vous écouter « ce cher monsieur », dit d'une voix moqueuse le commissaire.

— Alors, voilà, répond François, nous avons arrêté le professeur qui s'est un peu défendu en blessant un policier, il est ici en cellule. Puis son garde du corps a voulu nous tirer dessus, mais Clara en a fait un carton comme au champ de tir, droit au cœur. Elle a bien assuré, chef.

— Eh bien, moi, j'ai mis en garde à vue à l'hôpital, le justicier qui a agi pour se venger de la mort de son fils, à cause du dopage, surenchère Clara.

— Vous voyez, Monsieur le détective au chapeau de cowboy, tout a une fin. Le réseau de dopage de votre cher professeur est démantelé maintenant, vous allez tous finir sous les verrous. Capitaine Spinéla, j'aimerais interroger le Big-boss, en premier, vous me préparez la salle et j'arrive. En même temps, vous m'incarcérez ce monsieur au chapeau de cowboy.

Une demi-heure après, le commissaire et Clara, ayant fait le point en travaillant sur le tableau fil conducteur, se dirigent vers la salle des interrogatoires, en passant devant la vitre sans tain. Ils voient le professeur qui attend impassible, un pansement lui mange la moitié de la joue gauche. Le commissaire s'assoit face à lui et met en route le magnétoscope, le grand écran TV s'illumine et l'on voit les deux hommes qui se toisent, le Big boss qui a perdu de sa superbe l'apostrophe.

— Alors, c'est vous ce fameux commissaire divisionnaire et coureur cycliste, quand je pense que je vous cherchais, mais j'avais très peu de renseignements sur vous et impossible de vous trouver.

— Eh bien, vous m'avez en chair et os devant vous et je peux vous dire que je ne vais pas vous louper, dit le commissaire d'une voix gutturale.

Le Big-boss insiste lourdement.

— On m'avait dit que vous étiez dans le sud de la région parisienne et que vous vous entraîniez du côté de Bondoufle. Mais je n'avais pas le nom de votre club ni votre signalement.

— Mais comment avez-vous eu ce peu de renseignements sur moi ? qui vous tuyautait ? demande Henri.

— Mais parce que j'ai mon petit réseau qui me tient au courant de tout ce qui se passe au sein du peloton cycliste. Et mon ami qui travaille pour un journal m'a donné le peu de choses qu'il savait sur vous.

— C'est qui se journaliste ? demande Henri.

— Je ne vous le dirai pas, ce sera mon secret. Par la suite, j'ai envoyé mes sbires Trouboul et Rossignolet faire les trouble-fête dans les pelotons de l'Essonne. Puis, j'ai eu un petit renseignement d'un coureur cycliste qui m'a dit vous connaître. Je lui ai demandé de s'occuper de vous et ce fou est parti, chargé comme une mule avec une arme. Je pense que vous connaissez la suite et ce garçon n'a eu que ce qu'il méritait.

— Oui, et le pauvre en est mort, écrasé par une voiture. Je crois que les gens ont peu de valeur pour vous et c'est grave pour un médecin qui normalement doit sauver les vies. Vous avez à votre actif, beaucoup de morts, donc, il y a trois médecins, trois ou quatre coureurs, sans compter celui que l'on a trouvé dans le coma et qui va finir sa vie dans un asile d'aliénés.

— C'est comme ça, cela fait partie de la vie, commissaire divisionnaire.

— Bien, Professeur Genest, je vous mets en garde à vue et vous allez payer plein pot. Je vais vous charger à mort, ça, je peux vous le garantir. Allez capitaine, ramassez cette larve dans une des cellules les plus moches.

Et nous, les cyclistes, qui pratiquons notre sport à l'eau claire et pas avec cette saloperie, nous allons pouvoir rouler en toute sérénité, pense le commissaire. Heureux que cette enquête assez compliquée avec ses méandres nauséabonds du dopage prenne fin. Enfin, je l'espère, émet-il dans sa tête, car l'homme va toujours à sa perte en cherchant l'impossible dans la facilité.

20

Après une enquête assez difficile et compliquée, l'équipe du commissaire divisionnaire Henri Navarette au complet se retrouve au Golf de Bondoufle pour fêter leur victoire bien méritée. Le petit coin en face du bar avec ses grands fauteuils et une lumière tamisée rend l'ambiance très intimiste et se prête bien pour leur petite soirée. Le capitaine Clara Analila est superbe dans sa longue robe rouge, elle est ouverte à mi-cuisse sur le côté, elle est près de son mari qui tendrement la serre contre lui. Quant à son collègue, François Spinéla, qui comme d'habitude est venu seul, il discute avec une charmante cliente du Golf, la drague à l'italienne a l'air de bien fonctionner pour lui. Henri lève son verre avec ses collègues réunis, parle avec enthousiasme de la qualité du travail de ses équipiers. Vincent, le serveur, délicatement, s'approche d'Henri pour le féliciter et discrètement, il lui fait signe du menton en regardant vers l'entrée du bar. Henri voit tous les regards qui sont dirigés vers une belle Latine se trouvant dans l'entrée, elle est intimidée et elle n'ose pas aller plus loin. Henri prestement se porte à sa hauteur et autoritairement l'embrasse farouchement sur la bouche. Carmen au début est réticente, mais, soudain, elle se relâche et leur étreinte fusionnelle est totale. Clara enthousiaste s'approche et interpelle son chef.

— Eh bien, commissaire, on peut aussi profiter de cette charmante personne en l'invitant à notre petite fête, vous ne croyez pas ?

— Mais bien sûr Clara. Carmen, je te présente ma fine équipe. Nous venons de passer des moments difficiles dans notre enquête. Voici le capitaine Clara Analila, d'origine vietnamienne, elle me seconde efficacement en tenant à jour le tableau fil conducteur et elle me fait des fiches d'enfer des prévenus. Le capitaine Spinéla qui comme son nom l'indique est italien, c'est mon chauffeur. Il connaît Paris et la région parisienne, comme sa poche et il conduit comme Fangio. J'ai la chance d'avoir une équipe qui me seconde avec beaucoup de professionnalisme.

— Tu parles d'une enquête difficile. C'est pour cela que je ne t'aie pas vu pendant trois ou quatre jours, répond la belle dame d'une voix suave, les yeux d'une grande tendresse fixés sur Henri.

Il veut répondre, quand Clara intervient malicieusement et tenant amicalement le bras de Carmen, elle se met à lui raconter les moments forts de l'enquête. Carmen, écoute avec avidité, les actions rocambolesques de son amoureux. Elle se serre fortement contre Henri, en jetant par moments des petits cris d'effrois. Henri sent les formes harmonieuses de sa dulcinée contre son corps, une onde de chaleur lui traverse la poitrine, son cœur bat à vive allure. « Il faut que j'intervienne, sinon je vais exploser », se lamente-t-il silencieusement.

— Capitaine, vous aussi vous avez eu chaud, la balle n'est pas passée loin de votre charmant petit minois, hein, commente le commissaire d'une voix ferme, faisant comprendre à Clara qu'il souhaite être seul.

— Oui, c'est vrai commissaire. Allez, maintenant, on vous laisse tranquille, vous l'avez bien mérité.

Enfin seul, Henri regarde sa dulcinée avec ses yeux d'amoureux transi et il la serre encore plus fort. Il n'en peut plus d'attendre, leurs deux corps sont en transe. La chaleur humaine caniculaire les transforme en torche vivante.

— Bon, ne restons pas là. Cela te dit de venir chez moi ? Je pense que l'on sera plus tranquille pour parler, pour te dire les mots d'amour qui me tournent dans la tête. J'ai le cœur qui bat la chamade, je crois que je suis follement amoureux de toi, émet Henri, il a le regard embué et le cœur battant à 180 pulsations.

— Pas de problème, Henri, je suis comme toi, je suis folle d'amour aussi. Et d'une façon lascive, elle lui murmure à l'oreille « j'ai une envie folle de toi, j'ai envie que tu me déshabilles ». Allez partons discrètement maintenant, cela ne peut plus attendre.

Ils s'éloignent tout doucement du groupe, Henri se retourne, il voit son équipe en pleine discussion et ne faisant pas attention à eux. Henri se sent aspirer comme dans une spirale sans fin. En très peu de temps, ils arrivent à son domicile. La chambre est envahie rapidement et le sol se trouve parsemé de vêtements, une nuit volcanique à l'évidence se prépare…

Remerciements

Un grand merci à Thuy, ma fidèle lectrice, qui m'a aidé dans la réalisation de ce livre.

Un grand merci aussi à ma fille, Élizabeth, qui, du Mexique, a peaufiné et amélioré mon roman policier.

Imprimé en Allemagne
Achevé d'imprimer en novembre 2020
Dépôt légal : novembre 2020

Pour

Le Lys Bleu Éditions
83, Avenue d'Italie
75013 Paris